POLYGLOTT·

W9-CRC-097

Kalifornien

San Francisco
Los Angeles

Mit 14 Illustrationen
sowie 10 Karten und Plänen

POLYGLOTT-VERLAG
MÜNCHEN

Herausgegeben von der Polyglott-Redaktion
Verfasser: Wilhelm Voss-Gerling, Karl Teuschl (Kap. Las Vegas)
Laufende Bearbeitung: Karl Teuschl
Illustrationen: Heinz Bogner
Karten und Pläne: Franz Huber und Gert Oberländer
Umschlaggestaltung: Christa Manner, München
Fotograf: Bernd Ducke / Superbild

*

Wir danken den State Offices und den städtischen Visitor Bureaus
sowie dem Fremdenverkehrsamt der USA in Frankfurt/M.
für die uns bereitwillig gewährte Unterstützung.

Ergänzende Anregungen, für die wir jederzeit dankbar sind,
bitten wir zu richten an:
Polyglott-Verlag, Redaktion, Postfach 40 11 20, D-8000 München 40.

Alle Angaben (ohne Gewähr) nach dem Stand Mai 1991.

*

Zeichenerklärung:

❶ Information
✈ Flugverbindungen   🚃 Eisenbahnverbindungen
🚌 Autobusverbindungen   ⛴ Schiffsverbindungen
🏨L Luxushotels   🏨 Erstklassige Hotels
🏨 Gute Hotels   ⌂ Einfache Hotels und Pensionen
⚠ Jugendherbergen   ⚠ Campingplätze
🕓 Öffnungszeiten

Die in eckigen Klammern stehenden Ziffern oder Buchstaben decken sich
mit den auf den Plänen eingezeichneten Ziffern oder Buchstaben.

Farbige Ziffern am Seitenrand weisen auf die Routennummer hin.

Kilometerangaben hinter Ortsnamen zeigen die Entfernung vom Beginn der
jeweiligen Route aus an.

*

San Francisco: Golden Gate Bridge

Land und Leute

Kalifornien ist der südlichste der insgesamt vier pazifischen Festlandstaaten der USA, von denen Oregon und Washington sich im Norden anschließen, während Alaska eine abgetrennte riesige Halbinsel im Nordwesten des Kontinents bildet.

Kalifornien wartet mit einer großartigen landschaftlichen Vielfalt auf, die durch Menschenwerk bereichert wurde. Neben trockenen und fast vegetationslosen Wüsten gibt es wasserreiche (oft allerdings nur dank künstlicher Bewässerung) und fruchtbare Täler, neben weiten Ebenen das Hochgebirge (in Kalifornien liegt der höchste Berg der Vereinigten Staaten, wenn man die Berge Alaskas unberücksichtigt läßt), neben den Wassersportzentren an der Pazifikküste die prächtigen Erholungsgebiete an den Binnenseen, neben modernen Großstädten die Geisterstädte, die einstigen Städte der Goldgräber, neben alten Bauten aus spanisch-mexikanischer Zeit moderne Bauten, die der Gegenwart fast vorauszueilen scheinen. Kalifornien hat Stadtlandschaften mit verkehrsreichen Straßen und im Gegensatz dazu einsame Landstriche, auf deren Straßen über viele Meilen hin kein Mensch anzutreffen ist.

Der Neuankömmling – die meisten Touristen aus Europa landen in Los Angeles – wird bald vom milden Wetter und vom weißen Sandstrand am Pazifik begeistert sein. Auf seiner Urlaubsfahrt wird er im ganzen Lande vom spanischen Vermächtnis begleitet und glaubt nicht, im Land der Puritaner zu sein. Er stößt überall auf Ortsbezeichnungen, die aus dem Spanischen kommen; hinter ihrer englischen Aussprache spürt er noch den Wohlklang der spanischen Sprache.

Mit dem Namen California bezeichnete die spanische Literatur des frühen 16. Jhs. eine sagenhafte Inselgruppe, auf der Amazonen leben sollten. Wenig später tauchte er auf den Karten der Seefahrer auf, die von Mexiko aus vor dieser Küste kreuzten und ganz nach der Art des Kolumbus das gesichtete Land nach ihren Eingebungen tauften.

Überträgt man die Nord–Süd-Ausdehnung Kaliforniens auf Europa und Afrika, so würde es sich etwa von Casablanca nach Madrid erstrecken. Doch ist das Klima Kaliforniens infolge kalter Meeresströmungen an der Küste weitaus kühler als das Nordafrikas und der Iberischen

Halbinsel, nur die hohen Temperaturen der im Hinterland gelegenen Colorado-Wüste erinnern an die gleichen Breitengrade der Sahara. Mit milden Wintern und kühlen Seewinden im Sommer zeigte sich Kalifornien schon den ersten europäischen Kolonisatoren, den spanischen Franziskanern, als vielversprechendes Land, für dessen Kolonisation sie große Mühen und Strapazen auf sich nahmen.

Lage, Grenzen, Größe

Kalifornien liegt im äußersten Westen der Vereinigten Staaten von Amerika. Es grenzt im Norden an den Staat Oregon, im Osten an die Staaten Nevada und Arizona, im Süden an die mexikanische Halbinsel Baja California und im Westen an den Pazifischen Ozean. Eine natürliche Grenze besteht nur zwischen Kalifornien und Arizona: Sie wird vom Colorado River gebildet. Alle anderen Landesgrenzen sind wie mit dem Lineal gezogen.

Kalifornien ist mit 411 000 km² Fläche etwas größer als das vereinte Deutschland, hat aber mit 29,1 Mio. Einwohnern nicht einmal zwei Fünftel von dessen Einwohnerzahl. Der Größe nach steht Kalifornien unter den 50 Staaten der USA nach Alaska und Texas an dritter Stelle, der Einwohnerzahl nach an erster Stelle.

Bei einer Längsausdehnung von annähernd 1300 km und einer durchschnittlichen Breite von nur etwa 350 km ist es verständlich, daß vielfach eine Unterteilung in Southern California und Northern California vorgenommen wird. Die bedeutendste Stadt des Südens ist Los Angeles, die des Nordens San Francisco.

Landesnatur

Der Westen der Vereinigten Staaten gehört zum Gebiet der Kordilleren, des längsten Faltengebirges der Erde (es reicht von Alaska bis Feuerland). Innerhalb des Gebietes gibt es zwei nach Süden streichende Gebirgssysteme: das System der Rocky Mountains im Osten und das System der Pacific Mountains im Westen (Sierra Nevada). Die Sierra Nevada erreicht im Mount Whitney (4418 m) ihren höchsten Punkt.

Das kalifornische Central Valley ist rund 720 km lang und im Durchschnitt 65 km breit (es entspricht flächenmäßig fast genau dem deutschen Bundesland Niedersachsen). Gut drei Fünftel des Tales entfallen auf das südliche San Joaquin Valley, das vom San Joaquin River durchflossen wird. Durch den nördlichen Teil des Tales fließt der Sacramento River.

Die beiden Flüsse münden ganz nahe beieinander, fast ein gemeinsames Delta bildend, in die East Bay, die gemeinsam mit der San Pablo Bay und der San Francisco Bay eine große Wasserfläche bildet. Diese Wasserfläche konnte zustandekommen, weil die Coast Ranges bei San Francisco unterbrochen sind. Dort hat der Pazifische Ozean durch das Golden Gate Eingang ins Landesinnere gefunden.

Das südöstlich von Los Angeles gelegene Imperial Valley ist ein Teil der Colorado-Wüste, die vom Colorado River bis an den Golf von Kalifornien (Mexiko) reicht. Der nördlich des Imperial Valley gelegene Salton Sea liegt rund 72 m unter dem Meeresspiegel. Wie das Imperial Valley, so ist auch das nördlich des Salton Sea gelegene Coachella Valley durch künstliche Bewässerung in höchst ertragreiches Agrarland umgewandelt worden.

Östlich der Pacific Mountains erstrecken sich bis zu den Rocky Mountains hin große Binnenhochländer. Das ausgedehnteste ist das Great Basin (Großes Becken), zu dem der ganze Staat Nevada, von Kalifornien die Mojave Desert (Mohavewüste; nordöstlich von Los Angeles) und das Death Valley (teilweise Sandwüste, in der sich mit 86 m unter dem Meeresspiegel der tiefste Punkt der USA befindet; nördlich der Mojave Desert) sowie ein Teil des südlichen Oregon gehören.

Flora und Fauna

Zwei Fünftel Kaliforniens sind dicht bewaldet, wobei die größten Waldgebiete in der Sierra Nevada liegen. Kiefern (Ponderosa-, Zucker- und Gelbkiefern) und Schwarzeichen dominieren in der Zone zwischen 1000 und 2000 m, in höher liegenden Gebieten werden sie von Fichten abgelöst. Die Wälder der Küstenberge Nordkaliforniens sind bekannt für ihre großen Bestände an Redwoods (eine Mammutbaumart, Sequoia sempervirens), mit über 100 m die höchsten Bäume der Welt. Eine Besonderheit sind auch die in Höhen um 3000 m in den White Mountains Ostkaliforniens wachsenden Grannenkiefern (bristlecone pines) – die ältesten Exemplare blicken auf etwa 4000 Jahre zurück.

Chaparral (eine Art kalifornischer Macchia) an den Hügeln, Eichen und Steppengräser bestimmen das Vegetationsbild im Central Valley und in Südkalifornien. Das extrem trockene und heiße Klima im Inland bedingt in Südkalifornien die vielfältige Wüstenvegetation der Mojave und der Anza Borrego Desert mit Kakteen

Klimatabelle	Lufttemperatur (°C) : I = Mittleres Minimum II = Mittleres Maximum Niederschlagsmenge : III = Mittlere Monatsmenge (in mm)												
Ort		Jan.	Febr.	März	April	Mai	Juni	Juli	Aug.	Sept.	Okt.	Nov.	Dez.
San Francisco	I	7,5	8,5	9,2	9,7	10,7	11,7	11,8	12,2	12,8	12,4	11,1	8,6
	II	13,2	14,8	15,9	16,6	17,4	18,3	17,9	18,3	20,5	20,2	17,6	14,2
	III	116	93	74	37	16	4	0,3	1	6	23	51	108
Sacramento	I	2,9	4,3	5,6	7,3	9,7	12,5	14,1	13,4	12,8	9,6	5,4	3,4
	II	11,9	14,7	18,2	21,9	25,7	30,3	34,1	33,2	31,2	25,3	17,9	12,5
	III	81	76	60	36	15	3	0	0,5	5	20	37	82
Los Angeles	I	8,1	9,0	10,1	11,8	13,3	14,9	17,0	17,7	16,3	14,1	11,2	9,3
	II	18,3	18,9	20,3	21,4	23,1	25,1	28,5	28,5	28,0	25,2	22,9	19,7
	III	78	85	57	30	4	2	0,5	1	6	10	27	73
San Diego	I	7,5	8,2	10,1	12,1	13,9	15,5	17,5	18,6	16,8	14,3	10,8	8,4
	II	18,1	18,6	19,8	20,7	21,6	22,5	24,9	25,6	25,3	23,5	22,3	19,4
	III	51	55	40	20	4	1	0,2	2	4	12	23	52
Las Vegas (NV)	I	0	2,3	5,6	10,8	15,4	20,3	24,3	23,0	18,6	11,8	4,3	1,0
	II	12,3	15,2	19,7	25,4	31,0	36,2	39,7	38,3	34,6	26,8	18,3	13,4
	III	13	11	9	6	2	1	13	12	9	5	8	10

und den typischen Joshua Trees, einer Yucca-Art. Das milde, mediterrane Klima Kaliforniens hat den Import von Pflanzen aus aller Welt begünstigt, so z. B. von Dattelpalmen oder australischem Eukalyptus.

Dank der kalten Meeresströmungen gedeihen vor der Küste riesige Wälder von Seetang – die berühmten kelp beds. Sie bilden die Lebensgrundlage für zahlreiche Fischarten und Meeressäugetiere, darunter Robben, Seelöwen und die nahezu ausgerotteten Seeotter.

Die Landfauna Kaliforniens reicht von den allgegenwärtigen Nagern (Erd- und Eichhörnchen) über Waschbären, Stachelschweine und Kojoten zu nordamerikanischen Rehen (mule deer), Antilopen und Hirschen (Roosevelt Elk). In der Sierra Nevada leben heute noch Schwarzbären. Das Wappentier des Staates, der früher verbreitete Grizzlybär, ist dagegen bereits ausgerottet.

Klima

Das kalifornische Klima ist gemäßigt und im allgemeinen milder und ausgeglichener als das Klima anderer Staaten der USA. Die Temperaturunterschiede von Jahreszeit zu Jahreszeit sind nicht allzu groß. Das bedeutet aber nicht, daß es in Kalifornien ein einheitliches Klima gibt. Es sind vielmehr innerhalb des Landes recht beträchtliche Unterschiede festzustellen. Ganz allgemein gilt, daß die Temperaturen von Norden nach Süden und von Westen nach Osten zunehmen. Die Niederschläge sind im Landesinneren ge-

ringer als an der Küste, im Norden regnet es häufiger und stärker als im Süden.

Eine stark kühlende Wirkung hat im Sommer der besonders im Gebiet zwischen San Francisco und San Diego auftretende Küstennebel.

Die sommerlichen Oberflächentemperaturen des Meereswassers liegen in Kalifornien zwischen 11 und 16,6°C im Norden und zwischen 17,7 und 22,2°C im Süden. Vom Norden bis in die Gegend von San Francisco ist das Wasser zum Schwimmen zu kalt; wirklich angenehme Wassertemperaturen findet man erst südlich von Santa Barbara.

Bevölkerung

Die Weißen machen rund 82 % der Bevölkerung Kaliforniens aus. Sie sind sehr unterschiedlicher Herkunft. Am längsten in Kalifornien ansässig ist die Gruppe spanischer Abkunft. Erst ab etwa 1840 kamen Weiße aus den Oststaaten der USA oder aber Europäer, die über die Oststaaten einwanderten, in steigender Zahl nach Kalifornien, nachdem Händler seit etwa 1820 sich vereinzelt dort niedergelassen hatten. Der große Zustrom der Weißen setzte aber erst 1848 (Goldfunde und Vereinigung Kaliforniens mit den USA) ein. In diesem Strom zogen, was die Abstammung der Einwanderer anbelangt, alle weißen Nationen der Erde mit. Für die Bedeutung der Einwanderung bis in die Gegenwart hinein spricht die Tatsache, daß rund ein Viertel der heutigen Bevölkerung noch im Ausland geboren ist oder von sogenannten mixed parents (ein El-

5

ternteil ist noch im Ausland geboren) abstammt.

Neben den Weißen leben in Kalifornien einige ethnische Minderheiten. Mit über 2,4 Mio. sind die Schwarzen von der einst größten Minderheit in den letzten Jahren zur zweitstärksten herabgesunken. Ihre Zahl hat sich wohl durch Geburtenüberschuß und Zuwanderung erhöht, doch machen sie nur 8,2 % der Gesamtbevölkerung Kaliforniens aus.

Bei der Volkszählung von 1980 wurden erstmals alle Bewohner mit einem spanisch klingenden Namen gesondert gezählt. Diese Gruppe enthält Weiße rein spanischer Abstammung und Mexikaner; sie ist mit 18 % die stärkste Minderheit in Kalifornien. In der Gesamtstatistik wird sie allerdings den Weißen zugerechnet. Die Mehrheit von ihnen nennt sich *Chicano,* einst ein Schimpfname, aber jetzt ein Sammelname für alle mexikanischen Einwanderer und Amerikaner mexikanischer Abstammung. Es handelt sich bei diesen Mexikanern um Mestizen (Europäer-Indianer-Mischlinge), aber auch um ziemlich reinrassige mexikanische Indianer. Sie alle bekennen sich zum amerikanisch-mexikanischen Kulturkreis. Die Nachkommen rein spanischer Abstammung bleiben unter sich. Der größte Teil der Wanderarbeiter setzt sich aus Chicanos und illegalen mexikanischen Einwanderern zusammen. 1980 wurden über 4,5 Mio. Menschen spanisch-mexikanischer Herkunft gezählt (die Dunkelziffer wird allerdings sehr hoch angesetzt); davon leben allein über 2 Mio. in der Gegend um Los Angeles.

Die dritte große Minderheit ist die der Asiaten, in erster Linie der Japaner, Chinesen und Filipinos (220 000, 170 000 und 140 000). Die Asiaten machen nach dem Zensus von 1980 mit über 1,2 Mio. 5,2 % der Bevölkerung aus. Am weitaus stärksten vertreten sind sie in den städtischen Ballungsgebieten von Los Angeles und San Francisco sowie um Fresno.

Die kleinste Minderheit bilden die Indianer, die Nachfahren der einstigen Herren des Landes. 1960 gab es in Kalifornien nur noch knapp 40 000 Indianer, 1970 wurden gut 90 000, 1980 bereits über 200 000 Indianer (0,9 %) gezählt. Das scheinbar rasante Anwachsen hängt damit zusammen, daß sich immer mehr Indianer zu ihrer Herkunft und Kultur bekennen und sich folglich bei der Erhebung auch als Indianer bezeichnen. Die meisten Indianer leben in den Ballungsgebieten von Los Angeles, San Francisco und San Diego. Manche leben noch in Reservaten, die man u. a. bei San Diego, Fresno und Eureka findet.

Wirtschaft

Kalifornien gehört zu den wirtschaftlich bedeutendsten Staaten der USA, wobei die Landwirtschaft eine überragende Rolle spielt. Im Central Valley, das aus den breiten, flachen Schwemmlandtälern des Sacramento und des San Joaquin River besteht, entstand durch riesige Bewässerungsanlagen das produktivste Landwirtschaftsgebiet der USA. Allerdings müssen die Farmer seit einigen Jahren aufgrund der geringen Niederschläge in der Sierra Nevada mit Wasserknappheit leben und neuerdings sogar eine drastische Rationierung des kostbaren Nasses in Kauf nehmen.

Trotzdem steht Kalifornien in der Produktion von 35 Obst- und Gemüsesorten, z. B. Pfirsiche, Pflaumen, Pampelmusen, Oliven, Feigen, Mandeln und Zitronen, auch im Weinbau, an erster Stelle in den USA. Mehr als die Hälfte der nordamerikanischen Pflaumenernte und damit auch des großen Exports an Backpflaumen kommt allein aus der County Santa Barbara im Nordwesten von Los Angeles. Der Anbau von Reis und Baumwolle, den Produkten des alten Südens, gewinnt auch in Kalifornien steigende Bedeutung. Die kalifornischen Rotweine sind in den letzten Jahren zur Konkurrenz der französischen Lehrmeister aufgerückt. In der Herstellung von Trockenobst, Tiefkühlkost sowie von Obst- und Gemüsekonserven steht die kalifornische Lebensmittelindustrie an führender Position in den USA mit beträchtlichen Exportanteilen.

Die Viehzucht auf den Weideflächen des Berglandes und der weniger bewässerten Gebiete hat sich auf die Rinderzucht zur Fleichproduktion konzentriert.

Der Mangel an Kohle und Energie wurde erst nach 1869 durch den Bau der Ost-West-Eisenbahnlinien behoben. Die industrielle Produktion wuchs, wobei die Leichtindustrie mit Lebensmitteln als Hauptprodukt, die Unterhaltungsindustrie mit dem Zentrum Hollywood sowie die modernen Technologien der Elektronik, Luft- und Raumfahrt neben Erzeugnissen für die Schiffahrt die Akzente setzten. Mit der Entdeckung von Ölvorkommen, vor allem im Raum von Bakersfield und Los Angeles, verschob sich um 1920 der wirtschaftliche Schwerpunkt von der Landwirtschaft zur Industrie. Nach dem Zweiten Weltkrieg verdoppelten sich der Wert der Produktion und die Zahl der in der Industrie Beschäftigten noch einmal, weil es viele Amerikaner nach Kalifornien zog und vor allem auch mittlere Unternehmen dem Menschenstrom der Arbeitskräfte folgten. Das „Silicon Valley" im Raum von San Jose gilt heute als Synonym für die Computerindustrie.

An Bodenschätzen besitzt Kalifornien neben Erdöl und Erdgas auch heute noch etwas Gold (die Produktion ist allerdings seit langem rückläufig). Von den sonstigen Vorkommen sind Eisenerze, Wolfram und Asbest zu nennen.

In den Wüstengebieten Südkaliforniens sind an zahlreichen Stellen radioaktive Mineralien entdeckt worden. 1954 kam aus dem San Bernardino County (östlich von Los Angeles) die erste Ladung Uran.

Im waldreichen Norden Kaliforniens beliefert die Forstwirtschaft die holzverarbeitende Industrie für die Papier-, Zellstoff- und Möbelherstellung, die dort und noch mehr in Oregon und Washington von großer Bedeutung ist.

Staat und Verwaltung

Kalifornien gehörte vor 1821 zum spanischen Kolonialreich in Amerika und wurde von Mexiko aus regiert, soweit dies in den wenigen von Europäern besiedelten Gebieten möglich war. Danach übernahm der mexikanische Staat diese Besitzrechte, deren Ausübung sich jedoch nur auf die Missionen und einige Häfen erstreckte.

Nach der Übernahme durch die USA gab sich Kalifornien 1849 eine eigene Verfassung, die dann 1879 durch die noch heute gültige Verfassung ersetzt wurde. Deren Wortlaut ist jedoch nach dem Willen der damaligen Volksvertretung relativ leicht zu ändern, was seither über 350mal beschlossen wurde. Dieser Gesetzestext ist jetzt zehnmal so lang wie die Verfassung der USA und der drittlängste der Welt nach Indien und dem Staat Louisiana im Süden der USA.

Nach dem Vorbild Washingtons bestehen die Regierungsorgane des Staates aus der Legislative, der Exekutive und der richterlichen Gewalt. Sitz dieser Organe ist seit 1854 Sacramento (338 000 Einw.) im nördlichen Teil des Staates, eine Gründung des Schweizers John A. Sutter, der von hier aus auf dem Sacramento River eine Frachtboot-Linie einrichtete. Von Osten her erreichte etliche Jahre vor dem Bahnbau der legendäre Pony-Express Sacramento als westliche Endstation, von hier aus konnte man dann auf dem Wasserweg nach San Francisco gelangen. Heute ist Sacramento das Zentrum einer bedeutenden Region der Landwirtschaft und verdankt, gleich kleineren Hauptstädten anderer Bundesstaaten, seine Position vor allem dem Festhalten an der Tradition und der Mittlerrolle zwischen den rivalisierenden größeren Metropolen.

An der Spitze des Staates steht der vom Volk gewählte Gouverneur, sechs Ressortchefs bilden unter seinem Vorsitz die Staatsregierung. Der Lieutenant Governor ist der Stellvertreter des Gouverneurs und Präsident des Senats, der Secretary of State ist höchster Protokoll- und Archivbeamter, daher auch Wahlleiter, der Treasurer und der Controller teilen sich die Bereiche Finanzen und Wirtschaft, der Attorney General ist der Chef der Justiz und der Superintendent of Public Instruction mit einem Kultusminister vergleichbar.

Die Legislative setzt sich aus dem Senat und dem Abgeordnetenhaus (Assembly) zusammen. Die 40 Staatssenatoren werden für vier Jahre, die 80 Abgeordneten für zwei Jahre vom Volk gewählt. Im Kongreß in Washington ist Kalifornien mit zwei Senatoren und 45 Abgeordneten vertreten.

Wie bei den Staaten der USA üblich, so hat auch Kalifornien ein Staatsmotto (Eureka = ich hab's gefunden; ursprünglich auf die Goldfunde bezogen) und einen Spitznamen (The Golden State, weil die Entwicklung Kaliforniens mit der Entdeckung des Goldes begann). Die Staatshymne (I Love You, California) wurde 1913 von der großen schottisch-amerikanischen Sopranistin Mary Garden zum erstenmal gesungen. Staatsflagge ist die Bear Flag; 1846 wurde sie bei einem Aufstand amerikanischer Siedler gegen Mexiko zum erstenmal gehißt. Der Staatsbaum, der California Redwood (eine Mammutbaumart; Sequoia sempervirens), kommt an der Pazifikküste vor. Staatsblume ist die Golden Poppy (Goldmohn, Eschscholtzia californica), Staatstier der Grizzlybär; er erscheint auch in der Staatsflagge und im Großen Staatssiegel. In den Rang des Staatsvogels wurde die California Valley Quail, die kalifornische Schopfwachtel (Laphortyx californica), erhoben.

Kalifornien ist in 58 Counties eingeteilt, die nach Fläche und Bevölkerungszahl sehr unterschiedlich groß sind. Außerhalb der Counties stehen verwaltungsmäßig die größeren Städte. Über Städte und Counties hinweg reichende Zusammenschlüsse sind die Standard Metropolitan Statistical Areas (SMSA), eine Art dichtbesiedelter Ballungsräume.

Im kulturellen Gesicht Kaliforniens mischt sich das Erbe der spanisch-mexikanischen Gründer mit dem der anglo-amerikanischen und europäischen Einwanderer des 19. Jhs. zu einem Charakter ganz eigener Art. Romanisches Gefühl für Form und Stil paart sich hier auf spezielle Weise mit dem Pioniergeist und Tatendrang des Nordens. Nach dem ersten Goldrausch der Jahrhundertmitte war es vor allem das Klima Kaliforniens, das die Menschen anzog, festhielt und auch zu künstlerischer Aktivität inspirierte. Diese Entwicklung ist jung und dynamisch, kaum älter als zwei Jahrhunderte. Die vorangegangenen indianischen Kulturen haben nach der Tragik ihres Unterganges nur wenige Spuren hinterlassen.

Als altehrwürdige Kulturdenkmäler werden in Kalifornien jene spanischen Kolonialkirchen angesehen, die in der zweiten Hälfte des 18. Jhs. als Zentren jener 21 heute legendären Gründungen der spanischen Franziskaner entstanden waren. Ihre gedrungene Architektur entsprach ihrem Charakter als Gotteshaus und Wehrkirche zugleich. In den Siedlungen der Missionen waren die Kirchen mit ihren dicken Mauern manchmal die letzten Zufluchtstätten vor den Angriffen der Indianer, die sich nur teilweise als Arbeitskräfte in den Viehzucht-Ranchos der Missionen ansiedeln ließen. Die spanischen Namen dieser Gründungen, von denen Los Angeles und San Francisco jetzt die bekanntesten sind, erstrecken sich über ein großes Gebiet von San Diego bis nördlich von San Francisco und dokumentieren die Leistungen der Kolonisatoren, deren Nachfahren heute eine sehr selbstbewußte, z. T. noch spanisch sprechende Minderheit in Kalifornien bilden – nicht zu verwechseln mit den mexikanischen Einwanderern der jünsten Zeit, von denen viele illegal über die Grenze gekommen sind.

Es entspricht dem Traditionsbewußtsein der altansässigen Hispano-Amerikaner, daß eine Stadt wie San Diego sich in ihrem neuen Kern repräsentativer Kulturbauten, dem Balboa Park, jenen verspielten Barockstil angeeignet hat, wie er in Mexiko aus spanischem Ursprung entwickelt worden ist. Auch in Los Angeles hat der älteste Stadtkern rund um die Kirche Nuestra Señora la Reina de los Angeles spanisch-mexikanischen Charakter, der jedoch beiderseits der alten Olvera Street sehr touristisch-kommerzielle Züge angenommen hat. Ebenso erinnert die Mission Dolores in San Francisco an die Gründung von 1776 durch den Franziskanerpater Junípero Serra, dessen Geburtshaus auf der Insel Mallorca heute unter dem besonderen Patronat der Stadt San Francisco steht.

Doch hat der Zustrom der Einwanderer nach den Goldfunden von 1849 und der gleichzeitige Anschluß an die USA schnell die spanisch-mexikanischen Traditionen überrollt und Kalifornien zum begehrten Ziel der zunächst sehr abenteuerlichen Westwärtswanderungen gemacht. Abertausende wählten den Seeweg über Nicaragua, wo die Landbrücke am kürzesten war, und kamen in San Francisco an, das sich rasch zum größten Hafen der Westküste entwickelte, vor allem auch für die Routen nach China und Japan.

Bald strömten auch asiatische Einwanderer in San Francisco an Land und brachten eine dritte kulturelle Komponente mit, die seither die bunte Palette Kaliforniens auch mit speziellen Tönen angereichert hat. Die über 65 000 Chinesen und etwa 12 000 Japaner in San Francisco sind ein lebender Beweis für die Funktion der nordkalifornischen Metropole als Tor für den immer näher gerückten großen Nachbarn Asien.

Die Natur – genau genommen das sonnenreiche Klima – des südkalifornischen Zentrums Los Angeles war die Basis für den Aufstieg von Hollywood zur legendären Weltmetropole der Filmindustrie. Auch wenn heute im Zeichen des Bildschirms die ganz großen Jahre des Starkults Vergangenheit sind, so ist doch dieser Vorort in den Hügeln oberhalb der City noch immer ein Begriff in der Kulturgeschichte unseres Jahrhunderts. Im Jahre 1908 zogen die Produzenten eines der ersten langen Spielfilme („Der Graf von Monte Christo") vom wolkenreichen Chicago nach sonnige Südkalifornien um. Andere folgten ihnen. Das erste Studio wurde in Hollywood 1911 erbaut, im gleichen Jahr begannen 15 Filmfirmen ihre Dreharbeiten.

Mit dem Aufstieg Hollywoods sind die Namen großer Produzenten wie Cecil B. de Mille, Samuel Goldwyn, Louis B. Mayer, William Fox und Adolph Zukor verknüpft. Zu den ersten berühmten Stars gehörten Mary Pickford, Gloria Swanson, Rudolph Valentino, Douglas Fairbanks, Tom Mix, Harold Lloyd und Charlie Chaplin. Mit dem Tonfilm seit den späten zwanziger Jahren und dem zwei Jahrzehnte später folgenden Farbfilm erreichten Hollywood und seine Stars den Gipfel ihres weltweit verbreiteten Ruhms, dessen Verblassen jedoch die meisten von ihnen noch erlebt haben.

Doch sind auch heute noch Tausende von erfahrenen Spezialisten in den Studios tätig, die jetzt zu großen Teilen für Fernsehproduktionen benutzt werden. Auch deren Reihen werden in vielen Ländern verbreitet. Die Fernsehstars haben die Leinwandgrößen verdrängt, denn sie gelangen auf kleinem Bildschirm in jedes Wohnzimmer. Die in den frischen Zement des Hofes vor dem Mann's Chinese Theatre in Hollywood eingedrückten Autogramme der Kinohelden sind so schnell zu einem Denkmal des Starkults geworden.

Aus der Filmindustrie Hollywoods ist auch der Name jenes Mannes hervorgegangen, der als Trickfilmzeichner der 20er Jahre die Mickey Mouse erfand, doch später durch die seiner Phantasie entsprungenen Vergnügungsparks erst richtig populär geworden ist: Walt Disney. Sein erstes „Disneyland" wurde 1955 in Anaheim bei Los Angeles eröffnet, gefolgt von „Walt Disney World" bei Orlando in Florida sowie Kolonien in Tokio und Paris. Diese Schöpfungen einer kindlichen, ideenreichen, humorvollen und optimistischen Phantasie ziehen alljährlich Millionen von Besuchern in ihren Bann und sind durchaus der amerikanischen Kulturszene zuzurechnen, auch wenn daraus eine Art wohlorganisierter Unterhaltungsindustrie geworden ist.

Auf einem Berg über der Küste bei San Simeon, etwa auf halbem Wege zwischen Los Angeles und San Francisco, thront eine prunkvolle Palastanlage in einsamer Höhe, im Zentrum die Barock-Zwillingstürme eines Bauwerks, das man für eine Kirche spanisch-mexikanischen Stils halten würde. Dies ist jedoch „nur" das Herrenhaus einer Ranch, die einem Mann gehörte, der wie kein anderer noch vor Hollywood und dessen großen Namen das öffentliche Bewußtsein Amerikas nachhaltig beeinflußt hat: William Randolph Hearst (1863–1951).

In den Jahrzehnten um die Jahrhundertwende baute er von San Francisco aus ein Zeitungsimperium auf, dessen großer, aber auch fragwürdiger Erfolg ihn zu einem sehr umstrittenen Mann machte. Sein Rezept beruhte nicht auf der Bedeutung der verbreiteten Nachrichten und Meinungen, sondern auf deren Nervenkitzel und Wirkung beim Leser. „Crime and Sex" gehörten ebenso zum journalistischen Handwerk der Hearst-Presse, wie Klatsch und Enthüllung, oft mit einer wohlberechneten politischen Zielrichtung. Hearst wurde bewundert und auch gefürchtet, er führte ein glanzvolles Leben bis in die Nähe der Präsidentschaftskandidatur. In seinem Palast sammelte er Kunstschätze im Millionenwert an. Auch er ist ein Stück der amerikanischen Kulturgeschichte, obwohl sein Name stets umstritten war. Sein „Hearst Castle" wurde vom Staate Kalifornien übernommen, man kann es nur im Rahmen von Gruppentouren besichtigen und dabei im Eiltempo stets nur einen Teil sehen – ganz im Sinne des Erfinders des Fortsetzungsromans.

In den großen Städten Kaliforniens, vor allem in San Francisco, Los Angeles und San Diego, haben bedeutende Museen interessante Kunstschätze aus vielen Teilen der Welt angesammelt. Eine der bedeutendsten Sammlungen asiatischer Kunst hat San Francisco dem ehemaligen Präsidenten des Internationalen Olympischen Komitees, Avery Brundage, zu verdanken und dafür das Asian Art Museum im Golden Gate Park eingerichtet, direkt neben den Gemälden, Skulpturen und Glasmalereien des M.H. de Young Memorial Museum. Für Außenstehende ist es kaum zu vermuten, daß sich auch im Palace of the Legion of Honor und im Veterans Memorial Building bedeutende Kunstsammlungen befinden, im ersteren auch eine Rodin-Sammlung, im zweiten eine große Auswahl moderner Kunst.

In Los Angeles bereichern das George C. Page La Brea Discoveries Museum (Naturgeschichte) und die neuen Kunstmuseen Museum of Contemporary Art und L. A. County Museum of Art das kulturelle Angebot mit hervorragenden Sammlungen und der spektakulären Architektur ihrer Gebäude.

Ferner ist das J. Paul Getty Museum in Malibu bei Los Angeles beachtenswert, das ausgezeichnete Sammlungen griechisch-römischer Kunst, von Gemälden aus Barock und Renaissance sowie französischer dekorativer Kunst besitzt. Aus dem Nachlaß des Ölmilliardärs Getty hat dieses Museum jährlich 128 Mio. Dollar für Neueinkäufe zur Verfügung; es ist das bestdotierte – und wegen seiner Preispolitik vielfach heftig kritisierte – Museum der Welt.

In San Diego umfaßt das Kulturzentrum des Balboa Park auch die Fine Arts Gallery mit ihrem Skulpturenpark.

Geschichtlicher Überblick

Nach jüngsten Erkenntnissen erfolgte die Besiedlung Amerikas vor 35 000 bis 50 000 Jahren von Asien her über die Bering-Landbrücke, die im Bereich der Bering-Straße (zwischen der Seward Peninsula Alaskas und der Chukchi-Halbinsel Sibiriens) liegt. Die ersten Amerikaner dürften proto-mongoliden Völkerschaften angehört haben.

Es wird ferner angenommen, daß die Einwanderer an der Ostflanke der Rocky Mountains nach Süden vordrangen und dort die Great Plains erreichten, über die sie sich zunächst verbreiteten. Von dort aus dürften sie u. a. über den verhältnismäßig leicht zu bewältigenden South Pass im heutigen Wyoming ins Große Becken und schließlich in die Länder an der Pazifikküste gekommen sein. Dieses Gebiet war durch die kanadischen Rocky Mountains nach Norden hin abgeschirmt und von dort nur schwer zugänglich. Zwar gab es auch indianische Küstenbewohner, deren Ausbreitung auf dem Seeweg und entlang der Küsten ist jedoch schwer datierbar.

Die Lebensverhältnisse westlich der Rocky Mountains unterscheiden sich von denen der Great Plains (östlich der Rocky Mountains) sehr stark. Reicher Pflanzenwuchs und Großwild waren für die Great Plains charakteristisch. Spärlichen Pflanzenwuchs und kleine Wildarten trafen die Menschen im Westen an. Sie mußten sich also auf eine andere Ernährung einstellen und nach neuen Möglichkeiten suchen, diese sicherzustellen. Kennzeichnend für diese Kultur ist vor allem, daß die Menschen zum Sammeln von eßbaren Wurzeln und von Samen bestimmter Wildgräser übergingen. Zum Trocknen und Aufbewahren der Samen flochten sie Körbe aus Wurzelsträngen, Yuccafasern und dünnen Ästen. Aus diesen Materialien wurden auch Sandalen und Schurze, ferner Schlingen und Netze zum Fangen von Wild und Vögeln hergestellt. Wegen der Korbherstellung wird von der Basketmaker-Kultur (Kultur der Korbmacher) gesprochen.

Aus der Alt-Wüsten-Kultur entwickelte sich die Desert Culture (Wüstenkultur), die sich vor etwa 4000 bis 5000 Jahren zu unterteilen begann. In den Trägern der einzelnen Richtungen werden vielfach die unmittelbaren Vorfahren der namentlich bekannten Indianerstämme gesehen, wenn sich auch über die einzelnen Kulturen und Indianerstämme nur wenig Sicheres sagen läßt.

Der Sprache nach gehörten die Indianer Kaliforniens hauptsächlich drei Gruppen an: der Penuti-Gruppe, die über den größten Teil Nordkaliforniens, über fast ganz Oregon und über einen kleinen südlichen Teil von Washington verbreitet war; der Uto-Aztek-Gruppe, die den größeren Teil von Südkalifornien, ganz Nevada (sowie weitere große Teile des Westens und Südwestens der USA) und das Hochland von Mexiko (Azteken) bewohnten; der Hoka-Gruppe, die im äußersten Süden und Norden Kaliforniens sowie im Küstengebiet etwa vom heutigen Salinas bis Los Angeles ansässig waren.

16. Jahrhundert Der in spanischen Diensten stehende portugiesische Seefahrer João Rodrigues Cabrilho erforscht 1542 die kalifornische Küste von Mexiko aus bis zur Bucht von Santa Monica (bei Los Angeles) und stirbt im Januar 1543 im Santa Barbara Channel (südöstlich von Santa Barbara).

Die Fahrt wird unter Führung von Bartolomé Ferrelo bis an die Küste von Oregon fortgesetzt. Im Tagebuch Cabrilhos erscheint zum erstenmal der Name California. Der niederländische und lange Zeit in Duisburg ansässige Geograph und Kartograph Gerhard Mercator verzeichnet diesen Namen bereits in seiner 1569 fertiggestellten Weltkarte. Den Namen California hat Cabrilho einem zu Beginn des 16. Jahrhunderts in Spanien erschienenen Ritter- und Abenteuerroman entnommen, in dem von einer „rechts von Indien ... ganz nah am irdischen Paradies" gelegenen wilden, goldreichen und von schwarzen Amazonen bewohnten Insel California die Rede ist. Möglicherweise hat der Dichter den Namen aus dem spanischen Begriff „caliente forno" („heißer Ofen") abgeleitet – was klimatisch auf das Landesinnere Südkaliforniens trefflich passen würde.

1579 Der englische Seefahrer Francis Drake kommt auf seiner Weltumsegelung an die kalifornische Küste und ergreift von den Küstenlandschaften, die er New Albion nennt, für England Besitz. Diese Landnahme hat keinerlei praktische Folgen. Auch die Fahrt des Sebastián Vizcaíno, der in den Jahren 1602–1603 die kalifornische Küste erforscht und die Bucht von Monterey entdeckt, bleibt für das Land ohne Folgen. Während der nächsten rund 150 Jahre zeigen die Europäer keinerlei Interesse für die Küsten der heutigen Staaten Kalifornien, Oregon und Washington. Darauf ist es zurückzuführen, daß noch um 1770 die Meinung verbreitet ist, Kalifornien sei eine lange, schmale Insel. Eine um 1770 erschienene Karte zeigt die Insel Kalifornien, die vom Golden Gate im Norden bis zur Südspitze von Baja California reicht. In der ersten Auflage (1771) der Encyclopaedia Britannica heißt es, es sei unklar, ob Kalifornien eine Insel oder eine Halbinsel sei.

Ab 1769 Spanier führen Expeditionen nach Alta California (der heutige Staat Kalifornien) durch mit dem Ziel, von dem Land fest Besitz zu ergreifen. 1769 wird San Diego als Presidio (militärischer Stützpunkt) und als Franziskanermission gegründet.

Diesem Presidio folgen in den nächsten Jahren viele weitere, das nördlichste in Sonoma (nördlich von San Francisco). – Ab 1780 entstehen riesige Landgüter (Ranchos), auf denen von Spaniern in erster Linie Viehzucht betrieben wird.

1821 Mexiko wird von Spanien unabhängig. Zum Staat Mexiko (seit 1823 Republik) gehören u. a. Kalifornien und Nevada. Die mexikanische Regierung erlaubt die Niederlassung von Ausländern und überläßt diesen weite Ländereien.

1839–1848 Der aus Kandern (Baden-Württemberg) stammende Johann August Sutter (1803–1880; Sohn Schweizer Eltern) wandert 1834 nach Missouri und von dort 1838 nach Kalifornien ein. 1839 erhält er von der mexikanischen Regierung am Sacramento River rund 200 km² Land (heutige Stadt Sacramento und Umgebung) mit der Auflage, dort ein Fort zur Verteidigung der mexikanischen Interessen zu errichten.

Der Besitz, den Sutter bald erheblich vergrößert, wird Ziel von Arbeitern und Handwerkern, Abenteurern und Seeleuten, Händlern und Jägern und nicht zuletzt von Einwanderern aus den USA. New Helvetia, wie Sutter seinen Besitz nennt, wird zu dem am dichtesten besiedelten Gebiet Kaliforniens.

1846 kommt es zu einem Aufstand einiger amerikanischer Siedler gegen die mexikanische Regierung, der von dem US-amerikanischen Forscher und Offizier John Charles Frémont zur Vorbereitung des Vordringens der USA nach Kalifornien genutzt wird. Frémont besetzt auch das von Sutter errichtete Fort. Es kommt zum Mexikanischen Krieg zwischen Mexiko und den USA.

1848 Im Frieden von Guadalupe Hidalgo tritt Mexiko u. a. Kalifornien und Nevada an die USA ab. Wenig später entdeckt James Wilson Marshall, ein Vorarbeiter von Sutter, bei den Arbeiten an einer neuen Sägemühle in Coloma (nordöstlich von Sacramento, am Fuß der Sierra Nevada) in einem Bach Gold. Sutter sucht diesen Fund zu verheimlichen, aber bald (vor allem ab 1849) werden Sutters Besitzungen von Goldsuchern aus aller Welt besetzt. Damit beginnt der große Aufstieg Kaliforniens.

1850 Kalifornien wird als 31. Staat in die USA aufgenommen.

1861–1865 Im Amerikanischen Bürgerkrieg steht Kalifornien auf der Seite der Nordstaaten.

1906 Ein Erdbeben und nachfolgende Brände zerstören San Francisco, das auf der berüchtigten Sankt-Andreas-Falte sitzt, zu 75%.

1908 Die Entwicklung Hollywoods zur amerikanischen Filmmetropole beginnt.

Ab etwa 1945 Kalifornien wird zum bevölkerungsreichsten Staat der USA. Seine elektronische Industrie nimmt eine Sonderstellung ein. Der kalifornische Süden wird bevorzugtes Touristenziel.

1978 stimmt die Bevölkerung von Kalifornien mit überwältigender Mehrheit für Steuerreformen, die u. a. zu einer Ermäßigung der Grund- und Vermögenssteuer um 57% führen, und setzt so ein Signal für alle Staaten der USA.

1980 Die Volkszählung zeigt, daß trotz Erdbebenwarnungen die Bevölkerung in den letzten 10 Jahren um über 17% zugenommen hat und der Trend, im sonnigen Kalifornien zu wohnen, anhält. San Jose und San Diego gehören mit zu den am schnellsten wachsenden Städten in den Staaten. Der Republikaner Ronald Reagan aus Kalifornien löst als 40. Präsident der USA den Demokraten James Carter ab; er wird 1984 mit überwältigender Mehrheit für eine zweite Amtszeit nominiert.

1981 erste Landung der Space Shuttle, einer wiederverwendbaren Raumfähre, in der Mohavewüste (Edwards Air Force Base) östlich von Los Angeles.

1984 Olympische Sommerspiele in Los Angeles.

1989 Am 17. Oktober erschüttert ein – lange vorhergesagtes – Erdbeben San Francisco. Die Schäden an den Brücken und in manchen Stadtvierteln sind allerdings schnell beseitigt.

Reisewege

ANREISE NACH KALIFORNIEN

Lufthansa, Swissair und andere Fluggesellschaften (American Airlines, Delta Airlines, Pan Am, TWA, Northwest Airlines, United Airlines u. a.) bieten von der Bundesrepublik Deutschland bzw. von der Schweiz *Direktflüge* in die USA an. Es gibt auch bereits viele Direktverbindungen nach Kalifornien, so daß man nicht unbedingt in New York City oder Chicago umsteigen muß. So fliegt z. B. Lufthansa die westamerikanischen Städte *Los Angeles* und *San Francisco* von Frankfurt/M. nonstop an.

Die Preise der Flugreisen in die USA sind sehr unterschiedlich und ändern sich von Saison zu Saison. Neben den teuren Normaltarifen gibt es auch bei den Linienmaschinen viele günstige Sondertarife: z. B. *Holiday-* und *Apex-Tarife* oder den *Jugend-Tarif* (Lufthansa). Man erkundige sich in den Reisebüros und bei den Fluggesellschaften nach den genauen Bedingungen dieser Tarife.

Im Normalfall etwas günstiger als die Sondertarife der Linienflüge sind *Charterflüge* (NAC, Northamerica Charter), z. B. mit Condor oder LTU. Darüber sowie über *Pauschalangebote,* die neben dem Hin- und Rückflug noch weitere Leistungen (Unterbringung, Verpflegung, Mietwagen etc.) einschließen, erkundige man sich in den Reisebüros.

Billigflüge (z. B. Flüge mit Icelandair u. a.) sollte man vergleichen, um das günstigste Angebot herauszufinden. Manchmal müssen dabei gewisse Nachteile in Kauf genommen werden wie z. B. Abflug von ausländischen Flughäfen (Amsterdam, Brüssel, Luxemburg, London).

REISEN IN KALIFORNIEN

Mit dem Flugzeug

Viele amerikanische Fluggesellschaften (American Airlines, Delta, United Airlines, Trans World Airlines, Continental Airlines, Pan American u. a.) bieten *Rundflugtickets* (meist mit einer bestimmten Anzahl von Coupons) und *Visit-USA (VUSA)-Tickets* für ihr gesamtes Streckennetz an. Interessant ist dies vor allem für jene, die nicht nur Kalifornien besuchen wollen. Bei einigen Fluggesellschaften ist dieses Angebot nur in Verbindung mit einem Transatlantikflug möglich. *Wichtig:* Diese stark verbilligten Tickets müssen bereits im Heimatland gekauft werden; in den USA ist selbst eine Erweiterung nicht mehr möglich. Über die zahlreichen Angebote und sehr unterschiedlichen Buchungsbedingungen informieren die Fluggesellschaften und Reisebüros.

In den USA erkundige man sich nach günstigen „Stand-by"-Flügen und nach dem *Shuttle Service* von einer Stadt zur anderen. Mehrere Fluggesellschaften haben auch verbilligte Flüge zwischen den größeren Städten an der Westküste. Oft kann man preisgünstig von kleineren Flughäfen – Hollywood-Burbank, Oakland, Ontario, San Jose – fliegen.

Mit der Eisenbahn

Die AMTRAK (America's National Railroad Passenger Corporation) bietet eine Gesamtnetzkarte, den sog. *USA Rail Pass,* sowie eine regionale Netzkarte für die Weststaaten an, die für eine bestimmte Zeit zu beliebig vielen Fahrten berechtigen (nur außerhalb der USA zu kaufen).

Auskunft erhält man bei den europäischen Vertretungen der AMTRAK: abr, Hauptbahnhof, 8000 München 2 (für Bayern); DER, Eschersheimer Landstr. 25–27, 6000 Frankfurt/M. 1; Austria Reiseservice, Hessgasse 7, 1010 Wien; Kuoni, Neue Hard 7, 8037 Zürich sowie SSR-Reisen, Bäckerstr. 52, 8026 Zürich. Die Reisebüros nehmen auch Reservierungen in den Zügen vor.

Mit dem Autobus

Greyhound, die Autobusgesellschaft mit der großen Tradition, steckt zwar in wirtschaftlichen Nöten, aber die Busse rollen derzeit noch. Die Gesellschaft besitzt ein weitverzweigtes Streckennetz zwischen allen größeren Städten. Die verbilligte Netzkarte *Ameripass* (nur außerhalb der USA zu kaufen) berechtigt zu beliebig vielen Fahrten und Unterbrechungen während eines bestimmten Zeitraumes. Exakte Fahrplanauskünfte erhält man in den Bus-Terminals der größeren Orte.

Auskünfte vor der Reise erhält man im Reisebüro oder direkt bei den Vertretungen von Greyhound: DER, Eschersheimer Landstr. 25–27, 6000 Frankfurt/M. 1; WTC Reisebüro, Rennweg 45/8, 1030 Wien .

Mit dem Auto

Siehe Seite 13.

Praktische Hinweise

Ärztliche Versorgung

Leistungen der Ärzte und Krankenhäuser müssen sofort in bar oder über Kreditkarte bezahlt werden. Wegen der Erstattung der hohen Kosten ist der Abschluß einer privaten Reisekrankenversicherung dringend zu empfehlen. Die gesetzlichen Krankenkassen kommen für die Kosten *nicht* auf. Auskunft erteilen die Reisebüros und privaten Krankenkassen.

Bei der Einnahme von Medikamenten (auch der „Pille") sollte man die Zeitverschiebung berücksichtigen. Bei chronischen Erkrankungen empfiehlt es sich, Rezepte mitzunehmen, da viele Medikamente in den USA rezeptpflichtig sind.

Alkohol

Ein Überbleibsel aus der 1933 zu Ende gegangenen Zeit der Prohibition (Alkoholverbot) sind die Liquor laws, Alkoholgesetze, durch die der Ausschank und der Verkauf von Alkohol bestimmten Beschränkungen unterworfen werden. Die Gesetzgebung ist von Staat zu Staat verschieden. Oft kann man Alkoholika nur in den staatlichen *Liquor Stores* kaufen.

Alkohol darf in Kalifornien und Nevada nur an Personen über 21 Jahren verkauft und ausgeschenkt werden. Oft wird nach dem Ausweis gefragt.

Wenn man in einem Restaurant ein alkoholisches Getränk trinken möchte, so achte man darauf, ob es eine Lizenz *(Licence)* hat. Es ist strafbar, im Auto Alkohol zu trinken; angebrochene Flaschen müssen sogar in den Kofferraum.

Autofahrer

Es ist zu empfehlen, neben dem *nationalen* auch den *internationalen Führerschein* mitzunehmen, da ihn kleinere Mietwagenfirmen häufig verlangen.

Die Straßenverhältnisse in den USA sind sehr gut. Das Straßensystem besteht aus *National Interstate Freeways* (kreuzungsfreie Autobahnen; z. B. I-5), *United States Highways* (Fernverkehrsstraßen; z. B. US 101), *State Highways* oder *Roads* (kleinere Straßen innerhalb eines Staates; z. B. SR 1) und *Secondary State* oder *County Roads* (Nebenstraßen örtlicher Bedeutung).

Die *Verkehrsregeln* entsprechen im wesentlichen den europäischen. Man kann sich vor der Reise beim Automobilclub

oder im Reisebüro danach erkundigen. *Höchstgeschwindigkeit:* 65 Meilen (105 km/h) außerhalb geschlossener Ortschaften, 25 bis 30 Meilen (40–48 km/h) im Ort, sofern nicht anders angezeigt.

Als gutes Kartenwerk ist der *Polyglott-Straßenatlas USA* zu empfehlen. Er enthält neben Karten der Einzelstaaten und Umgebungskarten der Großstädte auch praktische Hinweise für den Autofahrer und ein kleines Autofahrerlexikon.

Die zahlreichen Büros der AAA *(American Automobile Association)* stehen auch Mitgliedern der ausländischen Automobilclubs ADAC, AvD, ÖAMTC und TCS mit Rat und Tat zur Seite. Gültigen *Mitgliedsausweis* nicht vergessen! Der AAA hilft mit Tour-Books, Routentips und Ratschlägen.

Autovermietung

Man muß in der Regel 21 Jahre alt und im Besitz eines *nationalen Führerscheins* sein. Der *internationale Führerschein* wird empfohlen, da einige kleinere Mietwagenfirmen verlangen. Manche Vermieter erheben für Mieter unter 25 Jahren einen Aufpreis von 5 $ pro Tag.

Es ist normalerweise praktischer und oft preiswerter, im Heimatland einen Wagen oder Camper zu bestellen. Reisebüros oder die Vertretungen der Mietwagenfirmen geben nähere Auskünfte. Will man den Wagen in den USA mieten, so empfiehlt sich ein sorgfältiger Vergleich der Preise und Bedingungen (Kilometerbegrenzung, Rückführgebühr etc.).

Auch die regionale Verbreitung der Mietwagenfirma ist wichtig, falls mal der Austausch des Fahrzeugs notwendig werden sollte. Eine *Kreditkarte* erleichtert das Mieten eines Autos und man muß keine Kaution hinterlegen.

In den USA findet man in den Branchentelefonbüchern (Yellow Pages) unter *Car* oder *Automobile Rentals* die gebührenfreien (1) 800-Nummern der Mietwagen-Buchungszentralen (Avis, Budget/Sixt, Econo, Hertz, National/Europcar usw.).

Camping

Ein guter *Campingführer* mit Angabe der jeweils vorhandenen Einrichtungen und der sehr unterschiedlichen Preise ist der „Rand McNally Campground and Trailer Park Guide", der alljährlich erscheint.

Die oft in den State Parks, den National Parks und den National Forests eingerichteten *staatlichen Campingplätze* sind meist schön gelegene kombinierte Zelt- und Wohnmobilplätze. Will man auf einem Wohnmobilplatz übernachten, sollte man sich während der Hochsaison spätestens am frühen Nachmittag einen Platz sichern, da die Campgrounds stark besucht sind. Für die Campingplätze in den großen kalifornischen Nationalparks können bis zu 8 Wochen im voraus schriftliche Reservierungen vorgenommen werden bei: Ticketron Reservation Office, P.O. Box 26430, San Francisco, CA 94126 (im Juli/August unbedingt empfehlenswert).

Private Campingplätze (z. B. KOA) sind teurer, bieten aber auch mehr Komfort. KOA gibt einen eigenen kostenlosen Camping Guide heraus, den man an allen Campgrounds erhält. Von Platz zu Platz kann man auch reservieren.

Diplomatische Vertretungen

Abk.: D Bundesrepublik Deutschland, A Österreich, CH Schweiz, GK Generalkonsulat, HK Honorarkonsulat.

Los Angeles (CA): D GK, 6222 Wilshire Blvd., Suite 500, Tel. 930-2703; CH GK, 3440 Wilshire Blvd., Suite 817, Tel. 388-4127; A GK, 11859 Wilshire Blvd., Suite 501, Tel. 444-9310. – Vorwahl 213.

San Diego (CA): D HK, 6868 Nancy Ridge Dr., Suite I, Tel. 455-1423. – Vorwahl 619.

San Francisco (CA): D GK, 1960 Jackson St., Tel. 775-1061; CH GK, Suite 1035, 456 Montgomery St., Suite 1500, Tel. 788-2272; A HK, 456 Montgomery St. – Vorwahl 415.

Las Vegas (NV): D HK, 925 E. Desert Inn Rd., Suite C, Tel. 734-9700. – Vorwahl 702.

Botschaften der *Vereinigten Staaten* befinden sich in Bonn, Bern und Wien. Amerikanische Konsulate gibt es in Berlin, Frankfurt/M., Hamburg, München, Stuttgart, Zürich und Salzburg.

Einreise

Touristen und Geschäftsreisende aus der Bundesrepublik Deutschland und der Schweiz benötigen für die Einreise einen noch für die Reise gültigen Reisepaß, jedoch kein Visum, wenn sie folgende Voraussetzungen erfüllen: Aufenthalt nicht über 90 Tage, gültiges Rückflugticket, Einreise mit einer Fluglinie, die zur Ausgabe von Einreiseformularen berechtigt ist (im Reisebüro erkundigen). Dies gilt auch für *Bürger der ehemaligen DDR* mit einem gültigen blauen DDR-Paß.

Österreichische Staatsbürger benötigen zusätzlich zum Reisepaß ein Visum, das sie über ihr Reisebüro oder das nächste Generalkonsulat der USA erhalten. Touristenvisa können mit unbegrenzter Gültigkeitsdauer genehmigt werden, der einzelne Aufenthalt darf aber 6 Monate nicht überschreiten. Maßgebend ist die individuelle Festsetzung der Aufenthaltsdauer durch den Beamten (Immigration Officer) bei der Einreise.

In jedem Fall ist es sehr zu empfehlen, dem Einwanderungsbeamten bei der Ankunft in den USA ausreichende Reisefinanzen in Form von Hotelbuchung, Reiseschecks, Kreditkarte, Einladung etc. vorweisen zu können.

Feiertage

In den USA gibt es folgende gesetzliche Feiertage: New Year's Day (1. Jan.); Martin Luther King's Birthday (3. Montag im Jan.); Lincoln's Birthday (2. Montag im Febr.); Washington's Birthday (3. Montag im Febr.); Memorial Day (Heldengedenktag, letzter Montag im Mai); Independence Day (Tag der Unabhängigkeit, 4. Juli); Labor Day (Tag der Arbeit, 1. Montag im Sept.); Columbus Day (2. Montag im Okt.); Veterans Day (Soldatengedenktag; 11. Nov.); Thanksgiving Day (Erntedankfest, 4. Donnerstag im Nov.); Christmas Day (25. Dez.).

Darüber hinaus gibt es noch regionale Feiertage. Fällt ein Feiertag auf einen Sonntag, so ist der darauffolgende Montag frei. An den Feiertagen sind öffentliche Einrichtungen (Museen, Post, Regierungsbüros etc.) meist geschlossen.

Geld und Devisen

Die Währungseinheit ist der Dollar ($) = 100 Cents (c). Den Wechselkurs erfragt man bei der Bank (Richtwert: 1 $ = ca. 1,70 DM; Stand Mai 1991).

Zur Zeit sind folgende Münzen im Umlauf: Penny (= 1 Cent), Nickel (= 5 Cents), Dime (= 10 Cents), Quarter (= 25 Cents), Half Dollar (= 50 Cents) und 1 $. Banknoten gibt es im Wert von 1, 2, 5, 10, 20, 50 und 100 Dollar.

Alle Dollarnoten haben die gleiche Größe und grüne Farbe und unterscheiden sich nur durch den Wertaufdruck und den abgebildeten Staatsmann.

Die Ein- und Ausfuhr von Fremd- und Landeswährung ist keinen Beschränkungen unterworfen; werden bei der Ein- oder Ausreise Zahlungsmittel (Bargeld, Reiseschecks u. ä.) im Wert von mehr als 10 000 $ mitgeführt, ist Deklaration erforderlich.

Man nimmt am besten eine *Kreditkarte* (u. a. VISA, Eurocard) und *Dollar-Reiseschecks* mit auf die Reise, neben denen ein kleiner Barbetrag sehr nützlich ist. Dollar-Reiseschecks werden in den Hotels, in den meisten Restaurants und in vielen Geschäften in Zahlung genommen; die meisten Banken tauschen sie in Dollarnoten um. Euroschecks sind in den USA unbekannt.

Informationen

Für die Reisevorbereitung ausreichende Informationen erhält man im Reisebüro oder beim *Fremdenverkehrsamt der USA (USTTA)*, Bethmannstr. 56, 6000 Frankfurt/M. 1, Tel. 0 69/29 52 11.

Man kann sich auch vorab Informationen aus Kalifornien schicken lassen: *California Office of Tourism*, 1121 L St., Suite 103, Sacramento, CA 95814.

Jugendherbergen, YMCA/YWCA

Jugendherbergen

Das Netz der Youth Hostels in den USA ist nicht sehr dicht. In Kalifornien liegen die meisten an der San Francisco Bay (in und um San Francisco). Frühe Anmeldung ist sehr zu empfehlen, am besten mit Hilfe eines Anmeldegutscheins (IYHF International Advance Booking Voucher), den die Jugendherbergsverbände bereithalten. Ein internationaler Jugendherbergsausweis ist erforderlich. Ein Verzeichnis der Jugendherbergen erhält man vom Jugendherbergsverband oder im Buchhandel (International Youth Hostel Handbook, Vol. 2; American Youth Hostel Handbook).

Young Men's/Women's Christian Association

Die Unterkünfte der YMCA/YWCA sind relativ preiswert und in allen größeren Städten (z. B. in Los Angeles, San Francisco, San Diego) zu finden, meist in zentraler Lage und mit Sportstätten ausgestattet. Eine frühzeitige Reservierung ist dringend erforderlich. Ein Adressenverzeichnis der YMCA/YWCA-Heime erhält man bei allen CVJM-Heimen im Heimatland.

Auskunft über billiges Reisen für junge Leute erteilen die CVJM-Reisen GmbH, Im Druseltal 8, D-3500 Kassel-Wilhelmshöhe.

Maße, Gewichte, Temperatur

Längenmaße: 1 inch (in.) = 2,54 cm
1 foot (ft.) = 12 inches = 30,48 cm
1 yard (yd.) = 3 feet = 91,44 cm
1 mile (mi.) = 1,609 km

Hohlmaße: 1 gill (gl.) = 0,118 Liter
1 pint (pt.) = 4 gills = 0,473 Liter
1quart (qt.) = 2 pints = 0,946 Liter
1 gallon (gal.) = 4 quarts = 3,785 Liter

Gewichtsmaße: 1 ounce (oz.) = 28,35 g
1 pound (lb.) = 16 oz. = 453,6 g
1 stone (st.) = 14 lbs. = 6,35 kg
1 quarter (qt.) = 2 st. = 12,7 kg
1 hundredweight = 4 qt. = 50,8 kg

Temperatur: Die Fahrenheit- (F) und die Celsius- (C) Grade lassen sich wie folgt errechnen:

$$\frac{(°F - 32) \cdot 5}{9} = °C$$

(0°C = 32°F, 5°C = 41°F, 10°C = 50°F, 15°C = 59°F, 20°C = 68°F usw.)

National Parks, National Monuments

In Kalifornien gibt es zahlreiche National Parks (Yosemite, Kings Canyon, Sequoia, Lassen Volcanic) und National Monuments, deren Aufsicht den jeweiligen Parkinspektoren obliegt. Auskünfte über die Parks und Monuments erhält man vor Ort bei den Headquarters und Visitor Centers. Innerhalb des Geländes helfen die Park Ranger.

In den meisten Parks wird eine Eintrittsgebühr erhoben. Eine einfache Tageskarte kostet pro Pkw 2 $ bis 5 $. Beim Besuch mehrerer National Parks lohnt sich der Erwerb einer Jahreskarte, des *Golden Eagle Pass*. Er kostet z. Zt. 25 $ und gilt für den Inhaber und alle im Privatauto mitfahrenden Personen.

Für die Übernachtung in Hotels und Motels in und um die National Parks empfiehlt sich eine rechtzeitige Reservierung. Campingausrüstungen kann man leihen.

Es bestehen Zubringerdienste von größeren Städten und Flughäfen in der Umgebung.

Netzspannung

110 Volt Wechselstrom. Den erforderlichen Zwischenstecker sollte man sich schon im Heimatland besorgen.

Öffnungszeiten

Geschäfte: meist Mo–Sa 9.30–17.30 Uhr. Shopping centers und viele große Kaufhäuser in den Innenstädten 9.30–21.30,

So 12–17 Uhr. Einige Restaurant- und Ladenketten sind 24 Stunden täglich geöffnet.

Banken: meist Mo–Fr 10–15 Uhr, an einem Tag der Woche (meist Fr) bis 17.30 Uhr.

Postämter: überwiegend Mo–Fr 9–18, Sa 8–12 Uhr.

Reisezeit

Die schönste Reisezeit ist das Frühjahr und der frühe Herbst (Sept. bis 1. Hälfte Nov.), für die Gebirgslandschaften ist es der Sommer. In Kalifornien kann man bis in den Mai hinein Ski fahren. Die im Wüstenbereich des Südens gelegenen Orte sollte man im Hochsommer meiden, sie erfreuen sich allerdings seit einiger Zeit auch im Hochsommer trotz Hitze wegen ungewöhnlich günstiger Hotelpreise immer größeren Zuspruchs. Die kalifornische Küstenzone, hauptsächlich im Gebiet zwischen Los Angeles und San Francisco, ist im Sommer oft in Nebel gehüllt.

Sport

Unterschiedliche klimatische Bedingungen und eine abwechslungsreiche Landschaft ermöglichen die Ausübung vieler verschiedener Sportarten. Die Sportbegeisterung der Amerikaner ist ein Erlebnis. Auskünfte über alle sportlichen Veranstaltungen und öffentliche Sportplätze (recreation areas), die oft nur wenige Autominuten vom Stadtzentrum liegen, erteilen die Automobilclubs oder die Convention and Visitors Bureaus. Weitere Auskünfte findet man in den Sportseiten der Tageszeitung.

Telefon, Telegramm

Das Telefon- und Telegrammwesen gehört nicht zur Post. *Telegramme* gibt man bei der Western Union direkt oder über sein Hotel auf. Über die Western Union kann man sich im Notfall telegraphisch Geld aus Europa überweisen lassen.

Ortsgespräche *(local calls)* kann man leicht von Telefonzellen aus führen (man beachte die Anweisungen). Ferngespräche *(long distance calls)* vermittelt der *operator;* wenn man die Vorwahlnummer (area code) kennt, kann man auch selbst durchwählen. Auslandsgespräche vermittelt der *overseas operator* unter der Nummer „0" oder unter der angegebenen Vermittlungsnummer. Von vielen öffentlichen Telefonzellen kann man aber auch direkt durchwählen (Vorwahl Bundesrepublik Deutschland 0 11 49, ehemalige DDR 0 11 37, Österreich 0 11 43, Schweiz 0 11 41 – dann Ortsvorwahl ohne die erste Null – Teilnehmernummer).

Hat man nicht genügend Münzen (5, 10, 25 c) eingeworfen, schaltet sich der operator ein; deshalb sollte man auch nach einem längeren Ferngespräch warten, ob der operator zurückruft und um eine Nachzahlung bittet.

Eine Möglichkeit, ein (allerdings teureres) *Auslandsgespräch in die Bundesrepublik* ohne das lästige Kleingeld zu führen: Man wählt in den USA 1-800-292-0049, darauf meldet sich die Vermittlung in Frankfurt/M. (deutsch) und verbindet mit der gewünschten Teilnehmernummer. Die Verrechnung erfolgt über die TeleKarte der Deutschen Bundespost oder als R-Gespräch (es bezahlt der Angerufene). Seit kurzem gibt es diesen Service auch für Österreich: Man wählt 1-800-624-0043 und wird von einer österreichischen Vermittlung mit der gewünschten Teilnehmernummer verbunden.

In den USA gibt es auch R-Gespräche (collect calls) sowie Gespräche mit Voranmeldung *(person to person),* bei denen man nur bezahlt, wenn eine bestimmte Person erreichbar ist. – Notruf: „0".

Toiletten

Gewöhnlich bezeichnet man Toiletten mit Rest Room oder Powder Room für Damen und Men's Room oder Lavatory für Herren.

Trinkgeld

Hotels und Restaurants berechnen kein Bedienungsgeld, sondern nur die örtliche Steuer. Man gibt Trinkgelder: im Hotel für die üblichen Dienste 1 $ bis 2 $, dem Zimmermädchen bei einem Aufenthalt bis zu einer Woche etwa 5 $, dem Zimmer- und Restaurantkellner etwa 15 %, dem Taxifahrer ebenfalls etwa 15 %, in Herrensalons 1 $ bis 2 $, in Damensalons wenigstens 1 $ oder 15 bis 20 %, Schuhputzern, Garderoben- und Toilettenpersonal, Zigarettenverkäuferinnen (in Restaurants usw.) einige Cents. Kein Trinkgeld bekommt das Empfangspersonal in Hotels.

Unterkunft (Hotels, Motels)

Die Auswahl ist groß, trotzdem sollte man bei Reisen in große Städte und bekannte Ferienorte Zimmer vor Reiseantritt reservieren lassen. Einzelzimmer kosten in ⌂⌂⌂L-Häusern ab 120 $, in ⌂⌂⌂-Häusern ab 90 $, in ⌂⌂-Häusern ab 50 $, in ⌂-Häusern ab 25 $. Doppelzimmer sind nur unwesentlich teurer. Billigere Zimmer sind verhältnismäßig selten. Die genannten Preise gelten für den sog. *European Plan* (Zimmer ohne Frühstück). Zimmer nach dem *American Plan* (Zimmer mit drei Mahlzeiten) bekommt man fast nur in Ferienorten.

Besonders preisgünstig sind die sog. *Economy Motels,* zu denen u. a. die Motelketten der Best Western Inns, der Trave-Lodge, der Friendship Inns, der Days Inns und der Motel „6" gehören. Letztere befinden sich meist außerhalb der Städte an den Autobahnen.

Im Zentrum der Innenstädte findet man oft kleinere, ältere Hotels, die niedrig im Preis sind, in denen man aber das Bad auf der Etage teilen muß.

Motels finden sich in der Form des Motor Hotels in den meisten Städten; die Masse der Motels liegt außerhalb der Städte und an den wichtigen Autostraßen.

Bei einer Rundreise kann man sich auf die Hotel- und Motelketten stützen und Reservierungen von einem Hotel zum anderen vornehmen. Über die gebührenfreien (1)800-Nummern kann man auch selber *Reservierungen* vornehmen (siehe Branchenverzeichnis; Yellow Pages). Man erhält eine Nummer, mit deren Hilfe man umbuchen oder absagen kann. Eine Kreditkarte erleichtert die Reservierung, die sonst nur bis 16 Uhr gilt.

Von den Vertretungen der Hotelketten in Europa kann man sich die neuesten Hotelführer (Directory, mit Preisangaben) schicken lassen:

Best Western, Mergenthaler Allee 2–4, 6236 Eschborn. – *Holiday Inns,* Adolfstr. 16, 6200 Wiesbaden. – *Ramada Inns,* c/o STR, Leerbachstr. 118, 6000 Frankfurt/M. 1. – *Sheraton,* Flughafen Terminal Mitte, 6000 Frankfurt/M. 75. – *Trave-Lodge,* Neue Mainzer Str. 22, 6000 Frankfurt/M. 1. – *Marriott,* Geleitstr. 25, 6000 Frankfurt/M. 70. – *Choice Hotels,* Am Hauptbahnhof 12, 6000 Frankfurt/M 1. – *Hyatt Hotels,* Maximilianstr. 32, 8000 München 2.

Verpflegung

Neben den Drugstores, Cafeterias und Coffee shops, die alles in allem Imbißstuben und Selbstbedienungsrestaurants sind, gibt es Restaurants aller Preis- und Güteklassen und mit Küchen aus vielen Ländern der Welt.

Die Preise für das Frühstück, zu dem man mit Vorliebe die Coffee shops (u. a. in Hotels) aufsucht, liegen zwischen 3 $ für das einfache kontinentale Frühstück – noch billiger ist das sog. Cereal, das nur aus Cornflakes und Milch besteht – und rund 6 $ für das reichhaltige amerikanische Frühstück.

In manchen Restaurants bekommt man vor allem sonntags das Brunch, eine Mahlzeit, die, wie ihr aus breakfast und lunch zusammengesetzter Name andeutet, ein erweitertes Frühstück ist.

Für ein Lunch (Mittagessen; in den USA meist keine wichtige Mahlzeit) zahlt man 6–14 $, für ein Dinner (Abendessen) 8–20 $. Essen à la carte können erheblich teurer werden. Ein meist sehr preisgünstiges Gericht ist das Daily Special, die Tagesplatte, die vielfach das von Stammgästen bevorzugte Gericht ist.

Essenszeiten: Frühstück 7–10 Uhr; Mittagessen 11–14 Uhr; Abendessen 17–21 Uhr, in kleineren Orten meist um 19 Uhr.

Wenn man ein alkoholisches Getränk zum Essen möchte, achte man darauf, daß das Lokal eine Lizenz für Alkohol hat („License"). Zu beachten ist, daß man sich in vielen Restaurants seinen Tisch nicht aussucht, sondern auf die Zuweisung eines Tisches durch das Personal wartet.

Zeit

In Kalifornien und Nevada gilt die *Pacific Time* (MEZ minus 9 Std.). Der angegebene Zeitabstand zur Mitteleuropäischen Zeit gilt nur für die Periode der Sommerzeit, der „daylight saving time".

Die Stunden von 0 bis 12 Uhr werden mit dem Zusatz a. m. (ante meridiem = vormittags), die Stunden von 12 bis 24 Uhr mit dem Zusatz p. m. (post meridiem = nachmittags) näher bezeichnet.

Zoll

Gegenstände für den persönlichen Gebrauch können zollfrei in die USA eingeführt werden. Zollfrei sind ferner 200 Zigaretten oder 50 Zigarren oder 2 kg Tabak sowie 1 Liter alkoholischer Getränke und Geschenke bis zum Wert von 100 Dollar. Blumen und Lebensmittel aus tierischen und pflanzlichen Erzeugnissen (Obst, Wurst) dürfen nicht in die USA eingeführt werden.

Bei der Wiedereinreise ins Heimatland sind zollfrei: 200 Zigaretten oder 50 Zigarren oder 250 g Tabak, 1 Liter alkoholischer Getränke über 22% und 2 Liter unter 22% Alkoholgehalt (in die Schweiz 1 Liter über und 2 Liter unter 15°) sowie Geschenke im Wert von 115 DM bzw. 1000 öS bzw. 200 sfr.

Los Angeles

Diese größte Stadt Kaliforniens (im Stadtgebiet leben 3,4 Mio., im Ballungsraum ca. 13,7 Mio. Einw.) ist zusammen mit ihren vom Stadtgebiet umschlossenen oder angrenzenden Nachbarstädten das zweitgrößte Ballungsgebiet der USA nach dem Großraum von New York. Man sagt jedoch, „L. A.", wie es die Einheimischen meist nennen, sei noch immer „ein Bündel von Kleinstädten (towns) auf der Suche nach einer wirklichen Stadt (city)", und meint damit vor allem auch den dezentralisierten Charakter dieser weitläufigen Stadt, die der Fläche nach mit ihren 1200 km² als zweitgrößte der USA nach Jacksonville in Florida (2000 km², aber nur 900 000 Einw.) in der Statistik steht.

Der alte Stadtkern von Los Angeles liegt etwa 25 km landeinwärts in einem weiten Talkessel zu Füßen einer Hügelkette, den Santa Monica und San Gabriel Mountains, auf deren Anhöhen sich die besseren Wohnviertel, darunter Hollywood, ausgebreitet haben, um dem sommerlichen Hitzestau im Tal zu entgehen.

Der dicht besiedelte Ballungsraum von Los Angeles umfaßt ein Viereck von etwa 50 mal 50 km mit der Pazifikküste im Westen bei Santa Monica und im Süden bei Long Beach. Ein Netz von breiten Autobahnen durchzieht dieses Gebiet, für das endlose Wohnstraßen mit kleinen Einzelhäusern charakteristisch sind. Hochhäuser überragen nur den Stadtkern von Los Angeles und einzelne Zentren; die Stadt ist kaum in die Höhe, doch sehr in die Breite gewachsen.

Daß das ungezügelte Wachstum auch seine Folgen hat, mußte Los Angeles in den 80er Jahren bereits mehrfach erfahren. Trotz großer Aquädukte, die Wasser aus der Sierra Nevada und vom Colorado River heranschaffen, wird das kostbare Naß knapp. Mehrjährige Dürreperioden haben dazu geführt, daß die Angelenos ihren immensen Wasserverbrauch immer häufiger streng rationieren müssen.

Der Besucher sollte aus der Lage von Los Angeles den Schluß ziehen, daß in dieser weitläufigen Stadt auch die Sehenswürdigkeiten sehr weit voneinander entfernt liegen. Hier wie überall in den großen Städten der USA kann man Sightseeing-Touren buchen und sich dabei einen ersten Überblick verschaffen, der dann gegebenenfalls das weitere Zurechtfinden per Mietwagen oder Buslinien erleichtert.

Im Autobahnnetz kann man sich auch als Fremder schnell zurechtfinden, wenn man sich die Nummern oder Namen der Route (Harbor, Hollywood, Pasadena Freeway und so fort) nach der Straßenkarte einprägt oder notiert, um bei den Abzweigungen im ständig fließenden Verkehr auch rechtzeitig reagieren zu können.

Die meisten Buslinien verkehren jedoch auf anderen Straßen, an denen zahlreiche Haltestellen liegen, so daß sich diese Fahrten sehr in die Länge ziehen können. Ein nennenswertes Bahnnetz für den Stadt- oder Vorortverkehr gibt es nicht, jedoch ist derzeit eine Metro-Bahn im Bau, von der allerdings erst eine Linie fertiggestellt ist.

GESCHICHTE

1542 kam João Rodrigues Cabrilho in die Bucht von Santa Monica. 1769/70 zog eine Expeditionsgruppe, die auf der Suche nach der Bucht von Monterey den Weg verfehlt hatte, unter Führung von Gaspar de Portolá durch das Gebiet des heutigen Los Angeles. Zu der Gruppe gehörten Franziskanermissionare, insbesondere Junípero Serra, der 1771 die Mission San Gabriel (rund 13 km nordöstlich des heutigen Stadtzentrums von L. A.) gründete, die vierte Mission im heutigen Kalifornien.

Zur Gründung einer spanischen Stadt kam es aber erst 1781, als sich nach 100tägigem Fußmarsch eine aus Mexiko kommende Gruppe von 46 Mestizen, Schwarzen und Spaniern gegenüber dem Indianerdorf Yang-na an der Stelle der heutigen Plaza, also in unmittelbarer Nähe des heutigen Stadtzentrums, niederließ. Die Ansiedlung bekam den langen Namen *El Pueblo de Nuestra Señora la Reina de los Angeles de Porciúncula;* in spanischer und mexikanischer Zeit wurde sie kurz El Pueblo und nach dem Anschluß an die USA Los Angeles genannt.

Die nur in sehr bescheidenem Umfang wachsende Stadt wurde, nachdem sie zunächst abwechselnd mit Monterey die Rolle der Hauptstadt von Alta California (heutiger Staat Kalifornien) gespielt hatte, 1835 vom mexikanischen Kongreß offiziell zur Hauptstadt dieses Gebietes erhoben. Nach dem Übergang Kaliforniens an die USA (Los Angeles konnte erst 1847 als letzte kalifornische Stadt endgültig von den US-amerikanischen Truppen besetzt werden) verlor Los Angeles diese Position, blieb aber Hauptstadt einer County.

1850 erhielt Los Angeles Stadtrechte. Der wirtschaftliche Aufschwung begann mit dem Anschluß an das Eisenbahnnetz (1876 und 1885). Andererseits wirkte sich der Umstand, daß Los Angeles keinen Hafen hatte, hemmend aus. Das Zentrum von Los Angeles war rund 22 km vom Meer entfernt, die Stadtgrenze kam stellenweise bis auf etwa 8 km an die Küste heran. Los Angeles versuchte daher durch Landkauf und Eingemeindungen an die Küste heranzukommen.

Als es entschieden war, daß der Hafen im Bereich der Orte San Pedro und Wilmington gebaut werden sollte, wurden diese beiden Küstenorte eingemeindet und zwischen ihnen und Los Angeles ein durch heute noch selbständige Städte hindurch führender Korridor angekauft, der sog. Shoestring Strip („Schnürsenkel-Streifen"), durch den sich heute der Harbor Freeway zieht. In den Jahren 1899–1914 entstand dann an der San Pedro Bay der Hafen von Los Angeles, einer der größten künstlichen Häfen der Erde.

Los Angeles begnügte sich nicht mit diesem einen Zugang zum Meer. Durch Eingemeindungen, u. a. die des Küstenortes Venice, kamen mehrere Zugänge an die Küste der Santa Monica Bay zustande. Das vorläufige Endergebnis aller dieser Erweiterungen ist ein großenteils stark zerstückeltes Stadtgebiet.

Manche Teile innerhalb des Stadtgebiets, die man ihrer Lage wegen ohne Bedenken als Stadtteile von Los Angeles ansehen möchte, sind in Wirklichkeit selbständige, von Los Angeles umschlossene Städte, z. B. West Hollywood (35 000 Einw.), Beverly Hills (33 000 Einw.), Culver City (38 000 Einw.) und Santa Monica (91 000 Einw.).

Die Entwicklung von Los Angeles spiegelt sich in den Einwohnerzahlen gut wider. L. A. war 1850 eine der kleinsten Städte der USA (1610 Einw.); um 1900 war sie die kleinste der 35 Großstädte der USA (102 000 Einw.); 1950 erreichte sie die Zweimillionengrenze und war damit die viertgrößte Stadt der USA; 1980 erreichte sie 3 Mio. und ist nun die zweitgrößte Stadt der USA.

Die riesige Ausdehnung der Stadt und ihre Verflechtung mit den Nachbarstädten machte die Anlage von Straßen, auf denen große Entfernungen rasch bewältigt werden können, notwendig. So sind die Freeways (Stadtautobahnen, einen Überblick gibt die Karte auf Seite 26, Greater Los Angeles) zu den Lebensadern der Stadt geworden. Einige von ihnen sind Abschnitte der großen kalifornischen Highways (siehe Nummern in der Karte). Vor allem eine Fahrt auf diesen Freeways macht deutlich, wie wenig zu dem Gebilde Los Angeles die Bezeichnung Stadt im üblichen Sinn noch paßt, da Los Angeles im Gegensatz zu den meisten anderen Großstädten der USA in die Breite statt in die Höhe gebaut hat.

SEHENSWÜRDIGKEITEN

Bevor man die Sehenswürdigkeiten von Los Angeles auf eigene Faust erobert, kann man Informationsmaterial (California Visitor Map mit Stadtplan; Unterhaltungs- und Ausflugsmöglichkeiten; Öffnungszeiten; Restaurantführer etc.) und Auskünfte aller Art bei den Informationsbüros erhalten (Karte siehe Seite 21):

Greater Los Angeles Visitors and Convention Bureau, 695 S. Figueroa Street (in der Innenstadt Ecke 7th Street; ◷ Mo–Sa 8–17 Uhr), Tel. (213) 689-8822; Informationsstand im „Jane's House", 6541 Hollywood Boulevard.

Ganz in der Nähe des großen Freeway-Schnittpunktes, des sog. *Stack* (Verkehrsführung über vier Ebenen), an dem sich der Harbor Freeway, der Hollywood Freeway, der San Bernardino Freeway und der Santa Ana Freeway treffen, liegen, durch den Santa Ana Freeway voneinander getrennt, die beiden Zentren von Los Angeles, und zwar die Plaza als historisches und das Civic Center als modernes Zentrum.

Los Angeles: Downtown

19

An der Plaza: Methodistenkirche im spanischen Stil

*Plaza [1], zwischen North Main Street, Sunset Boulevard und Los Angeles Street gelegen, ist, wie der Name andeutet, die Plaza Mayor (Hauptplatz) der von den Spaniern gegründeten Stadt. Der Platz bildet heute den Mittelpunkt des *Pueblo de Los Angeles State Historic Park,* eines kleinen, restaurierten Areals im spanisch-mexikanischen Stil, das Einheimischen wie Besuchern etwas von der Geschichte der noch jungen Stadt vermitteln soll.

Ecke North Main Street / Sunset Boulevard steht die alte Missionskirche *Nuestra Señora la Reina de Los Angeles,* die 1822 an der Stelle der ersten Kirche von 1784 erbaut wurde. Die aus Adobes (luftgetrocknete Lehmziegel) bestehenden Wände stürzten 1860 infolge heftiger Regenfälle zum Teil ein und wurden mit Ziegelsteinen neu errichtet. Die Kirche hat eine schöne Innenausstattung.

An der North Main Street befinden sich die *Masonic Hall* (1858), das *Merced Theater* (erstes Theater der Stadt) und vor allem das *Pico House* (Nr. 500), das früher ein elegantes Hotel war.

Von der Plaza nach Nordosten führt die kurze *Olvera Street,* eine mit Ziegelstei-nen gepflasterte Fußgängerstraße im Stil einer mexikanischen Marktstraße. In den Läden und an den Ständen dieser Straße werden kunstgewerbliche Arbeiten angeboten, und den Kunsthandwerkern kann man bei der Arbeit zusehen (Läden und Stände öffnen um 10 Uhr). Es gibt dort mexikanische Restaurants und Cafés mit mexikanischer Musik, aber auch Puestos (mit deutschen Würstchenständen vergleichbar), an denen man Enchiladas (mit Fleisch oder Käse gefüllte Tortillaröllchen) bekommt. Das Haus *Avila Adobe* (10 E. Olvera St.) ist das älteste Haus der Stadt (1818 oder 1824 erbaut). 1847 war es Hauptquartier der US-amerikanischen Armee. Heute ist es ein Museum, das den spanisch-mexikanischen Lebensstil um 1840 zeigt (🕓 Di–Fr 10–15, Sa/So 10 bis 16.30 Uhr).

Führungen durch den State Historic Park beginnen am Besucherzentrum (Tel. 213/628-1274).

New Chinatown [2]. Sie liegt nördlich der Plaza um den North Broadway und die Hill Street. Das Viertel wurde 1939 angelegt, als die alte Chinatown den Anlagen der östlich der Plaza gelegenen Union Station (Hauptbahnhof) weichen mußte. Die bunten Märkte und überfüllten Straßen vermitteln einen ersten Eindruck von der ethnischen Vielfalt der Stadt. Besonders um die Mittagszeit oder am Abend lohnt sich ein Besuch in dem Viertel, denn die chinesischen Restaurants sind hervorragend.

Civic Center [3]. Im Südostteil dieses großen Verwaltungszentrums von Los Angeles steht an der North Spring Street die *City Hall,* von deren Aussichtsterrasse im 17. Stockwerk man einen ausgezeichneten Rundblick hat (🕓 tägl. 10–16 Uhr, Fei geschlossen). Zu den markanten Punkten, die von dort aus zu sehen sind, gehören der gut 25 km nordöstlich gelegene Mount Wilson mit dem Mount Wilson Observatory, weiter nach Osten hin der rund 60 km entfernte San Antonio Peak (Old Baldy, 3066 m) und im Süden der rund 32 km entfernte Los Angeles Harbor (bei klarer Sicht ist auch Santa Catalina Island zu sehen).

Im Nordwestteil des Civic Center befindet sich das *Music Center* (First Street/Grand Avenue). Es besteht aus dem Dorothy Chandler Pavilion (Sitz des Los Angeles Philharmonic Orchestra), dem Mark Taper Forum (Rundtheater u. a. für Kammermusik, Dichterlesungen und kleinere Opern) und dem Ahmanson Theatre (vorwiegend Schauspielhaus).

Zwei Straßen weiter südlich steht das 1986 eröffnete *MOCA, das Museum of Contemporary Art* (250 S. Grand Avenue). In dem postmodernen Backsteinbau wird zeitgenössische Kunst gezeigt, wechselnde Ausstellungen sind Avantgarde-Künstlern gewidmet (🕐 Di, Mi, Sa, So 11–18, Do 11–20 Uhr). Zum MOCA gehört außerdem eine Zweigstelle am Ostrand der Innenstadt (Ecke First Street / Central Avenue); in zwei alten Lagerhallen sind spektakuläre Großplastiken und andere moderne Kunstwerke zu sehen.

Vom Civic Center aus verläuft der *Broadway* nach Süden, die alte Hauptgeschäftsstraße der Downtown. In den 30er Jahren standen hier die besten Kaufhäuser und beliebtesten Kinopaläste der Stadt. Als allerdings während der 60er Jahre die besseren Geschäfte nach Beverly Hills und in andere Vororte zogen, entwickelte sich der Broadway zur Billig-Einkaufsstraße der Chicanos aus Ost-Los Angeles. Auch heute sehenswert sind aber die Büro- und Kaufhausarchitektur im Art-deco- und Beaux-Arts-Viertel sowie der quirlige

Grand Central Public Market [4] (Broadway zwischen 3rd und 4th Streets) mit einer Riesenauswahl an Obst und Gemüse.

Direkt gegenüber sollte man einen Blick in die Innenhalle des *Bradbury Building*

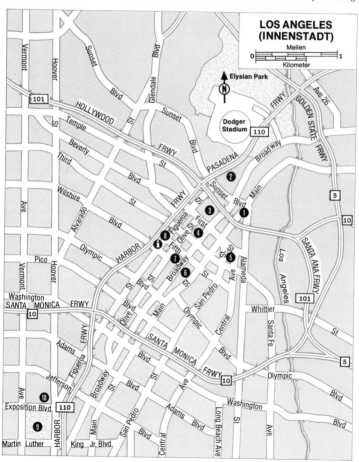

(304 S. Broadway) von 1893 werfen, die mit ihren gußeisernen Geländern und der Holztäfelung eines der schönsten viktorianischen Erbstücke der Stadt ist.

Little Tokyo [5] erstreckt sich zwischen First und 2nd Street, zwischen Central Avenue und San Pedro Street. Man trifft dort vor allem auf Geschäfte und Restaurants, Teehäuser und Bars. Besonders besuchenswert ist das Viertel während der an Veranstaltungen reichen Nisei Week (im August).

Südwestlich von Little Tokyo steht das 1985 neueröffnete

Los Angeles Theatre Center (514 South Spring St.) [6]. Vier nach modernsten Konzepten gestaltete Theater machen den Gebäudekomplex zu einem Mekka der Darstellenden Kunst (tägl. Aufführungen; Tel. 213/627-5599).

Die 6th Street führt weiter zum

Pershing Square [7], dem Mittelpunkt des Geschäfts- und Bankenviertels von Los Angeles, das bis zur Schaffung des Civic Center auch das kulturelle Zentrum der Stadt war. Der Pershing Square, der früher Central Park hieß, liegt zwischen Olive Street, 5th Street, Hill Street und 6th Street. Es ist, wie der alte Name andeutet, ein Park (Palmen, Bananenstauden, Blumenbeete). An seiner Nordwestseite steht das ehrwürdige *Biltmore Hotel,* dessen sehenswerte Eingangshalle ganz im alten spanischen Stil gehalten ist.

Folgt man nun zwischen turmhohen Bürobauten der 5th Street nach Westen, so erreicht man an der Grand Avenue ein historisches Kleinod: das *Edison Building,* One Bunker Hill. Das Gebäude im Artdeco-Stil wurde 1930 für eine Elektrizitätsgesellschaft erbaut und besitzt eine sehr schöne marmorverkleidete Eingangshalle mit Wandgemälden.

Eine Straße weiter, an der Flower Street, ragt linker Hand der moderne Gebäudekomplex der *Arco Plaza* auf, unter deren zwei 52stöckigen Bürotürmen ein unterirdisches Einkaufszentrum liegt. Rechts glitzern die Spiegelfenster des

Bonaventure Hotel [8], eines der auffälligsten Gebäude in der Innenstadt. Das 1500-Betten-Hotel von 1973 besteht aus futuristisch anmutenden gläsernen Rundtürmen. Vom Atrium des Gebäudes fahren superschnelle Aufzüge in den obersten Stock; dort kann man im Restaurant oder in der Drehbar einen grandiosen Blick über Los Angeles genießen.

Exposition Park [9]. Diesen rund 46 ha großen Park, der zwischen Exposition Boulevard, Figueroa Street, Martin Luther King Jr. Blvd. und Vermont Avenue liegt, erreicht man vom Civic Center aus am besten auf der Figueroa Street oder auf dem Harbor Freeway, von dem aus es eine Abfahrt zum Exposition Boulevard gibt. Der Park (Haupteingang an der Nordostecke nahe der Figueroa Street) ist ein Sport- und Erholungszentrum (Sports Arena, Swimming Stadium, ferner u. a. Picknickplätze und ein prachtvoller Rosengarten).

Den Mittelpunkt der Anlage bildet das *Memorial Coliseum* mit fast 100 000 Sitzplätzen. Dieses 1928 erbaute Stadion war einer der Schauplätze der Olympischen Spiele von 1932. 1984 fanden dort wieder Olympische Spiele statt. Heute spielen im Stadion bekannte Football-Teams. Außerdem werden dort u. a. Rodeos und Festspiele veranstaltet.

Auskunft über die einzelnen Sportstätten der Olympischen Spiele von 1984 erhält man vom Greater Los Angeles Visitors and Convention Bureau (s. S. 30). Die Olympischen Dörfer befanden sich auf dem Gelände der University of California (UCLA) und der University of Southern California (USC).

Der gesamte Nordteil des Exposition Park ist Museumsgelände mit mehreren Museen, die um einen rund 3 ha großen Rosengarten angeordnet sind. Das wichtigste und größte ist das *California Museum of Science and Industry,* das in acht Hallen sehr anschaulich wissenschaftliche und technische Themen behandelt. Besonders interessant sind die Hall of Health, die dem menschlichen Körper und der Gesundheit gewidmet ist, und die Mark Taper Hall of Economics and Finance, in der man spielerisch die Gesetze der Marktwirtschaft erlernen kann (☉ tägl. 10–17 Uhr).

Östlich davon liegt das *California Afro-American Museum,* das in wechselnden Ausstellungen die Geschichte und Kultur der Schwarzen in den USA behandelt (☉ tägl. 10–17 Uhr). Auf der Westseite des Rosengartens steht schließlich das *Natural History Museum of Los Angeles County,* unter dessen naturkundlichen Sammlungen vor allem die große mineralogische Abteilung und die Bereiche Kalifornien und der Südwesten der USA von Interesse sind (☉ Di–So 10–17 Uhr).

Nördlich des Exposition Park liegt das Gelände der 1876 von der Methodist Episcopal Church gegründeten

University of Southern California [10], der größten nichtstaatlichen Universität Kaliforniens (etwa 30 000 Studenten). Eines ihrer eindrucksvollsten Gebäude ist die Doheny Library; sie besitzt 1,5 Mio. Bücher.

*

Die nachfolgend genannten Sehenswürdigkeiten liegen außerhalb des auf Seite 21 abgebildeten Stadtplans, also in größerer Entfernung vom Stadtzentrum. Sie werden, im Norden beginnend, in der Richtung des Uhrzeigers beschrieben. Die Lage der wichtigeren Sehenswürdigkeiten wird in dem Plan auf Seite 26 durch Buchstaben oder die Namen der Städte oder Stadtteile angedeutet. Nur ein kleiner Teil der Sehenswürdigkeiten liegt noch in der Stadt Los Angeles; die meisten sind in den Orten zu finden, die zusammen mit der Stadt die SMSA Los Angeles ausmachen; einige liegen aber auch in der SMSA Anaheim – Santa Ana – Garden Grove im südlich angrenzenden Regierungsbezirk Orange County. Die Besichtigung erfolgt am besten und schnellsten mit einem (Miet-)Wagen.

*Southwest Museum]A], 234 Museum Drive, in der Nähe des Pasadena Freeway, nordöstlich der Kreuzung von Golden State Freeway und Pasadena Freeway (⏰ Di–So 11–17 Uhr; Fei geschlossen). Das auf einem Hügel über dem Sycamore Grove Park gelegene Museum besitzt ausgezeichnete Sammlungen zur Geschichte und Kunst der Indianer im Westen Amerikas. Man kann bis zum Museum hinauffahren oder aber am Fuß des Hügels parken und dann durch einen Tunnel, in dem Dioramen zum Leben der Indianer zu sehen sind, bis zu dem Aufzug gehen, der zum Museum hinaufführt. Dem Museum südöstlich gegenüber steht an der North Figueroa Street die Nachbildung eines spanisch-mexikanischen Ranch-Hauses aus dem 19. Jahrhundert (Haus Nr. 4605, *Casa de Adobe* genannt; ⏰ Di–Sa 11–17, So 13–17 Uhr; Fei geschlossen). Im Innern befinden sich die spanisch-mexikanischen Kunstausstellungen des Southwest Museum.

Descanso Gardens [B], 1418 Descanso Drive, La Cañada (20 000 Einw.). In den herrlichen, 67 ha großen Gärten (⏰ tägl. 9.–16.30 Uhr; orientalisches Teehaus Di bis So 11–16 Uhr) folgt das ganze Jahr über eine Blumenblüte der anderen (Kamelien, Azaleen, Flieder, Schwertlilien, Rosen usw.). Kinder und Jugendliche bis zu 18 Jahren haben nur in Begleitung Erwachsener Zutritt. Rundfahrten durch die Gärten werden Di–So zu unterschiedlichen Zeiten durchgeführt (Tel. 818/790-5571).

Pasadena (132 000 Einw.), am besten über den Pasadena Freeway zu erreichen, ist trotz seiner Industrie eine recht hübsche Wohnstadt. Ihr prächtiges Hinterland bilden die San Gabriel Mountains, in denen der 280 000 ha große Los Angeles National Forest mit der San Gabriel Wilderness liegt.

In Pasadena selbst verdienen Beachtung: das *Norton Simon Museum* (Orange Grove / Colorado Boulevard; Malerei und Plastik von der Renaissance bis zur Gegenwart; südostasiatische Kunst; ⏰ Do–So 12–18 Uhr); das *Pacific Asia Museum* (46 N. Los Robles Ave.; fernöstliche Kunst; ⏰ Mi–So 12–17 Uhr); das berühmte *California Institute of Technology* (1201 E. California Boulevard), das viele Nobelpreisträger hervorgebracht hat und an dem Albert Einstein lehrte (Führungen Mo–Fr, Tel. 818/356-6328); der im Arroyo Seco Canyon gelegene *Brookside Park* (Erholungsgebiet), in dem am Rose Bowl Drive die Rose Bowl liegt, ein Stadion mit gut 100 000 Sitzplätzen. In diesem Stadion findet am Neujahrstag das *Rose Bowl Game* statt, ein Football-Spiel, dem auf dem Colorado Boulevard das zweieinhalbstündige *Tournament of Roses* vorangeht, ein herrlicher Blumenkorso, zu dem mehr als 1 Mio. Zuschauer kommen.

Das *Ambassador Auditorium*, eine 1974 erbaute Konzerthalle, bereichert das Kulturangebot in Los Angeles. Das Auditorium wird allein von der Sekte der „Weltweiten Kirche Gottes" finanziert, die vor 50 Jahren von Herbert Armstrong gegründet wurde. Hier gastierten weltberühmte Künstler wie z. B. Yehudi Menuhin, Joan Sutherland, Luciano Pavarotti, Herbert von Karajan, Andres Segovia, Leontyne Price, Count Basie und Lionel Hampton.

San Marino (15 000 Einw.), südlich von Pasadena gelegen und von Los Angeles aus am besten über Mission Drive und Huntington Drive zu erreichen, besitzt in der *Huntington Library and Art Gallery* [C] (⏰ Di–So 13–16.30 Uhr; bei Besuchen am So sollte man die Karten eine Woche vorher bestellen unter Tel. 818/405-2100) und den sie umgebenden *Huntington Botanical Gardens* bedeutende Sehenswürdigkeiten.

Der Industrielle und Kunstsammler *Henry Edwards Huntington* (1850–1927) ver-

machte seinen 1151 Oxford Road gelegenen Besitz samt allen Sammlungen dem
Staat. Zum Botanischen Garten gehören
ein Wüstengarten, zwei japanische Gärten, ein Shakespeare-Garten und ein
Kräutergarten. Zu den bedeutendsten
Werken der Kunstgalerie zählt der „Blue
Boy" des englischen Malers Thomas
Gainsborough (1727–1788). In der Bibliothek (500 000 Bücher und Manu-
skripte) befinden sich eine Gutenberg-Bi-
bel, ein Manuskript mit Anmerkungen
von der Hand des Christoph Kolumbus,
die handschriftliche Autobiographie von
Benjamin Franklin (1706–1790) und die
Genealogie von George Washington
(1732–1799), verfaßt vom ersten Präsidenten der USA selbst.

Arcadia (47 000 Einw.), östlich von San
Marino gelegen und auf dem dort genannten Huntington Drive zu erreichen,
wird in Nord-Süd-Richtung von der
Baldwin Avenue durchquert.

An ihrem nördlichen Teil liegt nach Westen zu das 50 ha große Gelände des *Los
Angeles State and County Arboretum* (🕓
täglich, außer 25. Dez., 9–16.30 Uhr;
Führungen Mo–Fr 12.15–15 Uhr, an Wochenenden und Fei 10.30–16 Uhr; Tel.
818/446-8251) mit alten Häusern und
Pflanzenarten aus allen Teilen der Erde,
besonders Begonien und tropischen
Pflanzen.

San Gabriel (30 000 Einw.), südlich von
San Marino gelegen, war als Mission San
Gabriel Arcángel (1771 im heutigen Los
Angeles gegründet und 1775 in das heutige San Gabriel verlegt) der religiöse und
kulturelle Mittelpunkt etwa des Gebietes,
das heute die Los Angeles County aus-
macht.

Die heutigen Missionsgebäude (537 W.
Mission Drive) stammen im wesentlichen
aus dem frühen 19. Jh. Die Kirche, die in
mancher Hinsicht an die Kathedrale im
spanischen Córdoba erinnert (die Er-
bauer waren Spanier), wurde 1805 vollen-
det. In einem kleinen Museum hängen
von Indianern gemalte Kreuzwegstatio-
nen. (Die Missionsgebäude wurden bei
einem Erdbeben 1987 beschädigt und
sind derzeit noch wegen Restaurierungs-
arbeiten geschlossen; das Gelände und
die Gärten können aber besichtigt werden; 🕓 tägl. 9.30–16.30 Uhr).

Buena Park (6400 Einw.), in der SMSA
Anaheim – Santa Ana – Garden Grove
gelegen und von Los Angeles aus auf dem
Santa Ana Freeway zu erreichen, wird in
Nord-Süd-Richtung vom Beach Boule-

Disneyland in Anaheim

vard durchquert, an dem zwei Sehenswürdigkeiten liegen.

Ein Wachsfigurenkabinett (etwa 240
Filmstars sind in den eindrucksvollsten
Szenen ihrer Filme dargestellt) ist das
Movieland Wax Museum (7711 Beach
Boulevard; 🕓 Mitte Juni bis Labor Day
tägl. 9–22, sonst 10–21 Uhr).

8039 Beach Boulevard steht *Knott's Berry
Farm*, eine durch ihren Beerenverkauf berühmt gewordene Farm, die heute in erster Linie ein Vergnügungspark mit der
Nachbildung einer Ghost Town (Goldgräberstadt des 19. Jhs), einem mexikanischen Fiesta Village, einem Snoopy-Land
und vielem anderen mehr ist (🕓 Mitte
Juni bis Labor Day tägl. 10–24 Uhr, sonst
10–18 Uhr; an Fr und Sa länger geöffnet;
25. Dez. geschlossen).

Anaheim (245 000 Einw.), die größte
Stadt der SMSA Anaheim – Santa Ana –
Garden Grove und von Los Angeles aus
auf dem Santa Ana Freeway zu erreichen,
wurde 1857 von deutschen Siedlern gegründet. Es war die erste Gemeinde Südkaliforniens, die auf der Basis der genos-
senschaftlichen Gütererzeugung und
-verteilung florierte. Seinen Reichtum
und das stete Wachstum in den letzten
Jahrzehnten verdankt Anaheim aber der
Tourismusindustrie, die boomt, seit hier
1955 der Vergnügungspark

Disneyland [D] eröffnet wurde, angelegt auf einem rund 30 ha großen Gelände von dem Filmproduzenten *Walt Disney* (1901–1966; u. a. Schöpfer der Mickey Mouse und des Donald Duck, Figuren, die 1984 bereits ihren 50. Geburtstag feiern konnten) und immer wieder mit neuen Attraktionen ausgestattet.

Die wichtigsten Teile des Vergnügungsparks sind: die *Main Street U.S.A.* (Nachbildung von Hauptstraße und Marktplatz einer amerikanischen Stadt der Zeit um 1900); das *Tomorrowland* (in erster Linie das Land der Zukunft; Attraktionen sind: Unterwasserreise im U-Boot, Fahrt mit der Einschienenbahn, Space Mountain, eine rasend schnelle Achterbahnfahrt durch das stockdunkle All, Star Tours, ein Flug mit der Raumfähre zu fernen Sternensystemen, sowie ein großes Rundkino); das *Adventureland* (Bootsfahrt durch eine Dschungellandschaft mit künstlichen, lebensgroßen und sich bewegenden Krokodilen, Flußpferden usw.); das *Fantasyland* (Märchenland mit Dornröschenschloß, der Welt des Peter Pan, einer Schlittenfahrt das nachgebildete Matterhorn hinunter, der Alice im Wunderland usw.); das *Critter Country* (Schauplatz des Bear Country Jamboree und des Splash Mountain, einer riesigen Wasser-Achterbahn).

Zu nennen sind ferner das *Frontierland* (Grenzland; die Frontier war in der Geschichte der USA immer das am weitesten nach Westen vorgeschobene und noch dünn besiedelte Gebiet des Landes; Fahrt mit der Achterbahn Big Thunder Mountain und mit einem Riverboat, Besuch der Golden Horseshoe Revue) und der *New Orleans Square* (Läden, Restaurants und anderes mehr).

Disneyland ist im Sommer täglich 8–1 Uhr morgens geöffnet. In den Wintermonaten sind die Öffnungszeiten kürzer. Man sollte sich vor einem Besuch nach den genauen Zeiten erkundigen, Tel. (714) 999-4565 oder (213) 626-8605, Apparat 4565.

Die Eintrittskarte *Unlimited Passport* berechtigt zum Eintritt in den Park und zu allen Attraktionen. Es gibt sie als Ein-, Zwei- oder Dreitagesticket. Wünscht man eine Führung, so kann man über die Tel.-Nr. (714) 999-4565 eine Vereinbarung treffen.

In der Nähe von Disneyland gibt es an der West Street mehrere ⚓.

Einige Fahrminuten südlich von Anaheim liegt zwischen Santa Ana Freeway und Garden Grove Freeway die spektakuläre *Crystal Cathedral* (12141 Lewis Street; tägl. Führungen, Zeiten unter Tel. 714/971-4000). Die 12 Stockwerke hohe, ganz aus Glas gebaute Kirche wurde von Stararchitekt Philip Johnson entworfen.

Beach Areas (Strandzonen). Von Newport Beach (65 000 Einw.) im Südosten bis über *Malibu* (11 000 Einw.; s. S. 27) im Westen hinaus reicht die gut 100 km lange Küstenzone, die in der Regel als die Strandzone von Los Angeles bezeichnet wird. Vielfach wird über Newport Beach hinaus auch die Küstenzone bis Laguna Beach und sogar bis San Clemente einbegriffen.

Zwischen dem Pazifik und dem San Diego Freeway (I-405) liegt *Huntington Beach*. Hier wurde 1907 aus Hawaii das Wellenreiten (Surfing) eingeführt. Es ist bis heute das Paradies der Wellenreiter geblieben. Nur 13 km vom Ozean befindet sich *Old World* (7561 Center Avenue; ⏱ tägl. 11–19 Uhr), ein europäisches Einkaufs- und Unterhaltungszentrum, das durch sein Oktoberfest bekannt geworden ist.

An dem Abschnitt zwischen Newport Beach und Point Dume (westlich von Malibu) gibt es rund 40 öffentliche Strände; 25 von ihnen sind für das Wellenreiten (Surfing) zugelassen (die Wellen sind im Durchschnitt 1,50–1,80 m hoch; im Winter sind die Voraussetzungen für das Surfen besser als im Sommer). Für Wasserski sind besonders gut geeignet: Upper Newport Bay, Cabrillo Beach im Ortsteil San Pedro und Long Beach Harbor in der Nähe der Mündung des Los Angeles River. Für Sporttaucher sind die Gewässer von Point Dume und vor allem die Gewässer rund um die Channel Islands sehr geeignet. Erfahrene Taucher können in der Newport Bay und in den Häfen Long Beach und Los Angeles Boote mit Preßluftanlage chartern. Ausflugsboote verkehren u. a. vom Malibu Pier, Marina del Rey, Redondo Beach, Ports o'Call Village, Los Angeles – Long Beach Harbor und von Newport Beach aus.

In der nördlichen Strandzone von Los Angeles und im Gebiet von Anaheim gibt es staatliche und private Campingplätze (v. a. für Wohnmobile; an den Sommerwochenenden Reservierung erforderlich;

vielfach begrenzte Aufenthaltsdauer). Staatliche Campingplätze befinden sich außerdem in den State Parks nordwestlich von Santa Monica und in den Waldgebieten der Coast Mountains im Hinterland.

Long Beach (415 000 Einw.) ist ein Marinestützpunkt, eine Industriestadt und Erholungsort zugleich. Es hat einen rund 13 km langen, gut 150 m breiten und sehr gut eingerichteten Strand.

Am Pier J im Hafenviertel vor der Innenstadt ist eines der größten Passagierschiffe aller Zeiten, die *„Queen Mary"* [E], verankert; die einstigen Erste-Klasse-Kabinen bilden heute das Hotel „Queen Mary". In einem Kuppelbau neben dem Dampfer befindet sich das größte Flugzeug, das je gebaut wurde, die *Spruce*

Goose des exzentrischen Milliardärs Howard Hughes mit fast 110 m Flügelspannweite (🕐 Schiff und Flugzeug tägl. 10–18, im Sommer bis 21 Uhr).

Vom Long Beach Airport aus kann man Flüge zur Catalina Island (s. S. 27) unternehmen; vom Long Beach Harbor aus besteht eine Fährverbindung zur Insel (mehrmals täglich).

In *Los Angeles Harbor* (Hafen von Los Angeles), der sich von Long Beach über Wilmington bis San Pedro erstreckt, liegt am Kai 77 (Ostteil von San Pedro) das *Ports o'Call Village*, ein Restaurant- und Shoppingviertel im Stil eines alten Dorfes der Ostküste (18./19. Jh.; in den Geschäften findet man gute Touristenartikel). Zu San Pedro gehört ferner die *Cabrillo Beach and Recreation Area*. Dort steht

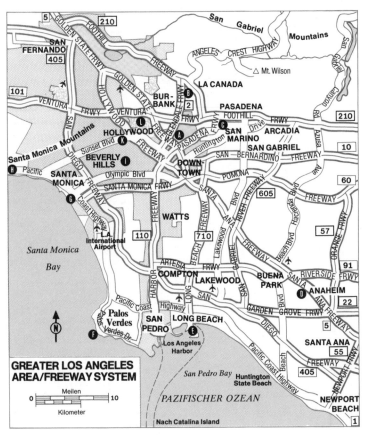

GREATER LOS ANGELES AREA/FREEWAY SYSTEM

das Cabrillo Marine Museum (3720 Stephen White Drive), das vor allem ein Museum der Seefahrt und des Meereslebens ist (🕙 Di–Fr 12–17, Sa, So 10–17 Uhr).

Von San Pedro aus führt der reizvolle Palos Verdes Drive an der Steilküste der Palos Verdes Peninsula entlang in Richtung Redondo Beach. Etwa auf halbem Wege liegt die

Wayfarer's Chapel [F], eines der bekanntesten und schönsten Gebäude von Frank Lloyd Wright. Natur und Architektur der kleinen Kapelle vereinen sich harmonisch, die großen Fenster vermitteln auch vor dem Altar das Gefühl, mitten im Wald zu stehen.

Nach der Umrundung der Palos Verdes Peninsula mündet die Straße in den Pacific Coast Highway, der weiter nach Norden entlang der Santa Monica Bay führt. Hier liegen nördlich des internationalen Flughafens von Los Angeles die bekanntesten Strandorte Südkaliforniens.

Venice [G], früher ein Slumgebiet, mauserte sich in den letzten 15 Jahren zu einem schicken und verrückten In-Viertel, in dem heute auch viele Schauspieler und Künstler leben. Am Wochenende wird die überfüllte Promeniermeile *Ocean Front Walk* zur Bühne der Selbstdarsteller: New-Age-Propheten predigen, Rollschuhfahrer und Artisten zeigen ihr Können, im Freiluft-Trainingsraum des Muscle Beach stellen muskulöse Athleten ihre Körper zur Schau. Parallel zur Strandpromenade verläuft zwei Straßen weiter landeinwärts die Main Street mit vielen Restaurants und feinen Läden.

Am Südrand von Venice liegt um einen schönen Yachthafen das begehrte Wohnviertel *Marina del Rey,* wo man im Fisherman's Village (Admirality Way) an den Hafenkanälen bummeln und in einem der Fischrestaurants speisen kann.

Im Norden schließt an Venice der bekannteste Strandort von Los Angeles an,

Santa Monica (91 000 Einw.). Seit Jahrzehnten ist das saubere, ruhige Städtchen ein beliebtes Domizil von Schriftstellern und Senioren. An der Ocean Avenue liegt auf einer hohen Klippe über dem Pazifik ein kleiner Park, von dem aus man einen guten Blick auf den aus vielen Hollywood-Filmen bekannten Pier von Santa Monica hat.

Malibu [H] (12 000 Einw.). Kurz vor Malibu, das etwas außerhalb und westlich der Los Angeles Area liegt und bei der Filmprominenz als Wohnort beliebt ist, befindet sich das

**J. Paul Getty Museum (17 985 West Pacific Coast Highway). Der Ölmilliardär Getty selbst konzentrierte sich vor allem auf drei Gebiete: griechische und römische Kunstwerke, Barock-und Renaissance-Gemälde und französische dekorative Kunst (Jugendstil). Seit Gettys Tod wird das Museum (eine Nachbildung der antiken römischen „Villa dei Papiri", die 1750 bei Neapel ausgegraben wurde) von einem Kunstsachverständigen-Team geleitet. Ihm steht (bei einem Stiftungsvermögen von 3 Mrd. Dollar!) ein jährlicher Etat von 128 Mio. Dollar zur Verfügung – das bestdotierte Museum der Welt. Mittlerweile haben sich die Sammlungen des wegen seiner inflationären Preispolitik stark der Kritik ausgesetztenMuseums so ausgeweitet (u. a. zweitgrößte fotografische Sammlung der USA, Zeichnungen aus dem 15.–19. Jh.), daß in den Santa Monica Mountains ein neuer Baukomplex entsteht.

Öffnungszeiten: Di–So 10–17 Uhr; Fei geschlossen. Frühzeitige Anmeldung (8–10 Tage vor dem Besuch) ist notwendig, damit man einen Parkplatz für sein Auto reserviert bekommt, Tel. (213) 458-2003; das Parken auf den umliegenden Straßen ist verboten. Oder man fährt mit dem Bus RTD 434 von Santa Monica und erhält beim Fahrer einen Museumsausweis. Ohne Beleg, daß man „ordnungsgemäß" geparkt hat bzw. mit dem Bus gekommen ist, wird man nicht eingelassen!

Catalina Island. Rund 40 km vor der Küste von Los Angeles liegt die Insel Catalina, die von San Pedro und Long Beach aus mit Wasserflugzeugen sowie mit regelmäßig verkehrenden Fähren (ca. 1–2 Std. Überfahrt) zu erreichen ist. Hauptort der Insel ist das im Südosten gelegene *Avalon* (1500 Einw.), das von Erholungsuchenden und Sportfischern gern aufgesucht wird. Die Naturschönheiten der Insel sind die Ziele von Bus- und Bootsrundfahrten. Im Avalon Canyon befindet sich ein sehr besuchenswerter Botanischer Garten (🕙 tägl. 8–17 Uhr), im Casino Building das Catalina Island Museum (🕙 im Sommer tägl. 10.30–16, 19–20 Uhr).

Wilshire Boulevard – Beverly Hills. Der westlich des Pershing Square zwischen 6th und 7th Street beginnende Wilshire Boulevard ist für eine Fahrt nach Beverly Hills (und darüberhinaus bis Santa Monica) besonders zu empfehlen. Nach der Kreuzung mit der Alvarado Street durchquert er – noch im mexikanischen Viertel von Los Angeles – den MacArthur Park. Kurz nach Passieren der Vermont Avenue hat man zur Linken das „Ambassador Hotel", das einzige Hotel im Stadtzentrum (der Stadtteil Wilshire wird noch zum Zentrum gerechnet), das als Ferienhotel bezeichnet werden darf (Lage in einem Landschaftsgarten von gut 1 ha Größe; schöner Kokospalmenhain).

An der Kreuzung Wilshire Boulevard/Hobart Boulevard steht der *Wilshire Boulevard Temple,* eine eindrucksvolle Synagoge, die der größten jüdischen Gemeinde der Erde gehört (Los Angeles ist mit rund 550 000 Bürgern jüdischen Glaubens nach New York die zweitgrößte jüdische Stadt der USA).

Die bedeutendste Sehenswürdigkeit am Wilshire Boulevard ist der

Hancock Park [I] mit den *Rancho La Brea Tar Pits,* einer natürlichen Teerquelle, aus der man in spanisch-mexikanischer Zeit Dichtungsmaterial für Hausdächer gewonnen und in der man seit 1900 Skelette vorgeschichtlicher Tiere gefunden hat, 1914 auch das Skelett einer Frau, die vor etwa 9000 Jahren gelebt haben dürfte. Nahe dem Eingang ist eine Szene aus der Eiszeit mit lebensgroßen Mammuten nachgestellt. Die Pits, in denen immer noch nach Skeletten gesucht wird, werden als „Asphaltfriedhof der Eiszeit" bezeichnet; die Funde beziehen sich auf den Zeitraum von 40 000 bis 5000 Jahren vor der Gegenwart. Die gefundenen Skelette befinden sich im *George C. Page La Brea Discoveries Museum* im Hancock Park, in dem auch nach den Skeletten angefertigte Tiermodelle zu sehen sind, darunter das Modell eines Riesenmammuts (mit Stoßzähnen rund 4 m lang), Säbelzahntiger und Wölfe aus dem Pleistozän (⊙ Di–So 10–17 Uhr).

Im Hancock Park steht auch das *Los Angeles County Museum of Art,* ein hervorragendes Kunstmuseum mit ständigen und wechselnden Ausstellungen, dessen drei Gebäude von einem Skulpturengarten umgeben sind. Besonders sehenswert ist der japanische Pavillon mit einer großen Sammlung von Gemälden und Keramiken aus der Edo-Zeit (⊙ Di–Fr 10–17, Sa und So 10–18 Uhr).

Westlich des Hancock Park kreuzt die Wilshire Boulevard die Fairfax Avenue, auf der man einen kleinen Abstecher nach Norden bis zur Kreuzung mit der 3rd Street machen sollte. Dort liegt der berühmte *Farmers Market,* ursprünglich ein kleiner Markt, der den Farmern der Los Angeles Area in einem Notjahr zum Verkauf ihrer Ernten zur Verfügung gestellt wurde, heute ein riesiges Einkaufszentrum (vorwiegend immer noch Lebensmittel), das täglich von rund 20 000 Kauflustigen aufgesucht wird. (Der Markt ist von Juni bis September Mo–Sa 9–19, sonst bis 18 Uhr geöffnet, So und Fei geschlossen.)

Nördlich des Farmers Market wird die Fairfax Avenue zur Hauptgeschäftsstraße des jüdischen Viertels von Los Angeles, wie an den vielen koscheren Restaurants zu erkennen ist. Noch etwas weiter nördlich zweigt die *Melrose Avenue* nach Westen ab, eine seit einigen Jahren sehr beliebte Einkaufsstraße im Ortsteil West Hollywood mit vielen Boutiquen, kleinen Cafés und Trend-Läden.

Über die Melrose Avenue oder den Wilshire Boulevard erreicht man weiter westlich die von Los Angeles ganz umschlossene selbständige Stadt

Beverly Hills (33 000 Einw.), in deren eleganten Wohnvierteln sich die Traumhäuser vieler Stars aus Film und Fernsehen befinden. Wegen einer Rundfahrt durch die Stadt und zu den Villen wendet man sich an eines der zahlreichen Sightseeing-Unternehmen. Mit etwas Glück begegnet man einem bekannten Gesicht am berühmten *Rodeo Drive,* der teuersten und exklusivsten Geschäftsstraße im Westen der USA.

Hollywood, die einen Teil von Los Angeles bildende legendäre Stadt des Films, Fernsehens und Rundfunks, liegt vorwiegend am Hollywood Freeway und an den ihn kreuzenden Boulevards Hollywood, Sunset und Santa Monica. (Besuchenswerte Sehenswürdigkeiten und Studios s. S. 29.) Versteht man Hollywood als Synonym für Filmstadt, dann muß man allerdings auch die im Norden angrenzende Stadt

Burbank (85 000 Einw.) einbeziehen, wo in der Nähe des Ventura Freeway die Disney Studios, das N.B.C. Color Television Studio und die Warner Brothers Studios liegen. Diese und alle übrigen Studios sind im allgemeinen nicht oder nur im Rahmen von Führungen für die Öffentlichkeit zugänglich. So werden z. B. durch die N.B.C. Color Television Studios (3000 W. Alameda Avenue, Burbank, Tel. 818/840-3537; Mo–Fr 8.30–16, Sa 10–16, So 10–14 Uhr) Führungen veranstaltet.

Den besten Einblick in die Welt der Studios vermittelt eine Tour durch die **Universal Studios** (Eingang 3900 Lankershim Boulevard; ⏰ Mo–Fr 10 bis 15.30, Sa und So 9.30–16 Uhr; täglich Führungen). Auskunft über Öffnungs- und Anfangszeiten der Führungen erhält man unter Telefon (818) 777-3794. Die Führung dauert 2½ Stunden, man sollte jedoch für den Besuch des Unterhaltungszentrums, wo mehrere Unterhaltungsshows stattfinden, noch einmal wenigstens die gleiche Zeit einplanen.

Im übrigen sind in Hollywood beachtenswert: der *Hollywood Cemetery* (Santa Monica Boulevard/Gower Street; am Eingang wird ein Führer verkauft) mit den Gräbern u. a. von Rudolph Valentino (1895–1926) und Douglas Fairbanks (1883–1939); die Kreuzung Hollywood Boulevard und *Vine Street*, die mit ihrer engeren Umgebung das Zentrum der Film- und Fernsehleute ist; der *Hollywood Boulevard* [K] vor allem zwischen Western Avenue und La Brea Avenue mit dem *Walk of Fame* (Bronzetafeln mit den Namen berühmter Künstler des Film- und Showgeschäfts) und *Mann's Chinese Theatre* (6925 Hollywood Boulevard; im Zementboden des Hofes Hand- und Fußabdrücke sowie Namenszüge bekannter Filmstars). *Hollywood on Location* (8644 Wilshire Boulevard, Tel. 213/659-9165) hält eine Liste mit den aktuellen Drehorten bereit, man kann also „live" bei Dreharbeiten zusehen.

Vom Hollywood Boulevard führt die Highland Avenue nach Norden in die *Cahuenga Hills* (Teil der Santa Monica Mountains), in denen sich das von der Natur vorgebildete Amphitheater *Hollywood Bowl* befindet. Die berühmtesten Veranstaltungen dieses Theaters (17000 Sitzplätze) sind der Easter Sunrise Service, der interkonfessionelle Sonnenaufgangsgottesdienst (starker Showcharakter) am ersten Ostertag, und die Symphony Under the Stars, eine Konzertreihe (Juli–Sept.) des Los Angeles Philharmonic Orchestra.

Santa Monica Mountains. Durch den Westen von Los Angeles ziehen sich, am Los Angeles River im Griffith Park beginnend und östlich der Los Angeles Area in der benachbarten Ventura County endend (höchste Erhebung annähernd 600 m), die Santa Monica Mountains hin, die die Küstenebene von Los Angeles im Süden vom San Fernando Valley im Norden trennen.

Griffith Park [L], vom Zentrum am besten über Pasadena Freeway/Golden State Freeway zu erreichen. Der ca. 1600 ha große Park ist der größte Stadtpark der USA. Er bietet landschaftliche Schönheit und Vielfalt, Picknickplätze und Sporteinrichtungen, im Süden u. a. das *Greek Theater* (Freilichtbühne; Musik- und Theateraufführungen von Mitte Juni bis Mitte Sept.), das *Observatory* (Vorführungen täglich; Zeiten unter Tel. 213/664-1191; die zum Observatorium gehörende Hall of Science ist So–Fr 12.30–22, Sa ab 11.30 Uhr geöffnet) und das *Ferndell Nature Museum* (im Park des Museums zahlreiche Farnarten), sodann im Norden den *Los Angeles Zoo* (⏰ im Sommer tägl. 10–18, sonst bis 17 Uhr) und die *Travel Town*, die man durch eine ehemalige Eisenbahnstation aus viktorianischer Zeit betritt und in der alte Fahrzeuge aller Art zu sehen sind (⏰ tägl. 10–17, im Sommer bis 18 Uhr). Die jüngste Attraktion des Griffith Park, gleich neben dem Zoo gelegen, ist das *Gene Autry Western Heritage Museum* (4700 Zoo Drive; ⏰ Di–So 10–17 Uhr), in dem die Geschichte des Wilden Westens thematisiert ist: Filmclips, originale Colts berühmter Bösewichter und Cowboykunst – die Auswahl der Exponate läßt die Nähe Hollywoods spürbar werden.

An den Nordteil des Griffith Park grenzt der 120 ha große *Forest Lawn Memorial Park* (Eingang 1712 S. Glendale Avenue) an, ein sehenswerter Friedhof mit den Gräbern von Hollywood-Stars, der Hall of Crucifixion (59 x 14 m große Kreuzigungsdarstellung) und dem Great Mausoleum (in Glasmalerei Nachbildung des Leonardo-Werkes „Abendmahl").

Von Osten nach Westen zieht sich durch die Santa Monica Mountains der rund 90 km lange *Mulholland Drive*, eine Bergstraße, die wegen der Aussichten, die man von ihr aus hat, als die landschaftlich schönste Strecke von Los Angeles gilt.

San Fernando Valley (nordwestlich von Los Angeles Downtown). Das weite Tal, in das man vom Zentrum aus auf dem Hollywood Freeway oder auf dem Golden State Freeway gelangt, war früher Bauernland mit Weizenfeldern, einzeln gelegenen Farmen und kleinen Ortschaften. Seit der Zugehörigkeit zu Los Angeles hat das Tal eine tiefgreifende Wandlung erfahren; aus Bauernland wurde Bauland und Industriegebiet, und die Bevölkerungszahl wuchs stürmisch. Südwestlich des Hauptortes *San Fernando* (15000 Einw.) liegt die *Mission San Fernando Rey de España,* gegründet 1797.

PRAKTISCHE HINWEISE

O Greater Los Angeles Visitors and Convention Bureau, 695 S. Figueroa Street (Ecke 7th Street), Tel. (213) 689-8822 (☉ Mo–Sa 8–17 Uhr); Zweigstelle im „Jane's House", 6541 Hollywood Boulevard, Tel. (213) 461-4213 (☉ Mo–Sa 9–17 Uhr).

✈ Los Angeles International Airport, 23 km südwestlich des Stadtzentrums (Century / Sepulveda Boulevard); RTD-Stadtbusse fahren am Parking Lot C ab; Airport Bus Service zu den großen Hotels der Region (Fahrzeit nach Downtown ca. 40 Min.). – In Long Beach, Burbank, Santa Ana (Orange County) und San Bernardino befinden sich kleinere nationale Flugplätze.

🚂 Los Angeles Union Terminal, 800 North Alameda Street, Tel. 624-0171; Verbindungen nach Barstow, San Diego und San Francisco.

🚌 Der Bus Terminal von Greyhound International (Tel. 620-1200) befindet sich 208 East 6th Street (zwischen Los Angeles Street und Main Street). Kleinere Busbahnhöfe von Greyhound liegen in vielen Vororten, unter anderem in Santa Monica und Anaheim.

Im Bereich der Downtown verkehren DASH-Busse zwischen allen wichtigen Sehenswürdigkeiten (Mo–Fr 6.30 bis 18.30, Sa 10–17 Uhr; je Fahrt 25 c). Außerdem ist seit Juli 1990 die erste Linie der neuen Metro-Bahn von Los Angeles in Betrieb. Sie verkehrt von der Downtown bis zur Innenstadt von Long Beach (1,10 $).

Wer die öffentlichen *Stadtautobusse* benutzen will, erhält Informationen, Karten und Tickets von der *Rapid Transit District of Southern California* (RTD; Tel. 213/626-4455), Arco Plaza, 515 S. Flower Street, Level B, oder 419 Main Street oder 6249 Hollywood Boulevard, Hollywood.

Autofahrer benutzen das ausgezeichnete *freeway system*. Wer mit ihm nicht vertraut ist, sollte allerdings die rush hours (7–10, 15–18.30 Uhr) meiden und mit Hilfe einer Karte seine Fahrstrecke genau vorausplanen, um keine Ausfahrt zu verpassen.

Wegen organisierter *Besichtigungsrundfahrten* wendet man sich z. B. an das Büro der Gray Line Tours, 6541 Hollywood Boulevard, Tel. (213) 481-2121.

🏨🏨🏨L „Biltmore", 506 S. Grand Avenue; „Sheraton Grande Hotel", 333 S. Figueroa Street; „Los Angeles Hilton and Towers", 930 Wilshire Boulevard; „The West-

in Bonaventure", 404 S. Figueroa Street (modernistische Glasturmarchitektur); „Beverly Hilton", 9876 Wilshire Boulevard; „Century Plaza", 2025 Avenue of the Stars; „Viscount Hotel", 9750 Airport Boulevard (am Flughafen); „Ambassador", 3400 Wilshire Boulevard; „Hyatt Wilshire", 3515 Wilshire Boulevard; „Miramar Sheraton", 101 Wilshire Boulevard (Santa Monica); „Loews Santa Monica Beach Hotel", 1700 Ocean Avenue (Santa Monica); „Grand Hotel", 1 Hotel Way (Anaheim).

🏨🏨 „Mayfair Hotel", 1256 W. 7th Street; „Best Western Farmer's Daughter", 115 S. Fairfax Avenue; „Ramada Inn West Hollywood", 8585 Santa Monica Blvd.; „Beverly Crest", 125 S. Spalding Drive; „Hollywood Roosevelt", 7000 Hollywood Boulevard; „Queen Mary", Pier J (Long Beach); „Best Western Beach and Oceanaire", 4217 E. Ocean Boulevard (Long Beach); „Sheraton Anaheim", 1015 W. Ball Road (Anaheim); „Travel-Lodge at the Park", 1221 S. Harbor Boulevard (Anaheim); „Anaheim Carriage Inn", 2125 S. Harbor Boulevard; „Quality Inn", 800 Pacific Coast Highway.

🏨🏨 „Beverly Laurel", 8018 Beverly Boulevard; „Best Western Inn Towne Hotel", 925 S. Figueroa Street; „Best Western Executive Motor Inn", 603 S. New Hampshire Avenue; „Best Western Hollywood", 6141 Franklin Avenue; „Palos Verdes Inn", 1700 S. Pacific Coast Highway (Redondo Beach); „TraveLodge", 80 Atlantic Avenue (Long Beach); „Comfort Inn", 2815 Santa Monica Boulevard (Santa Monica); „The Watergate", 1211 S. West Street (Anaheim).

🏨 In dieser Preisklasse gibt es in L. A. nichts Empfehlenswertes.

🏚 L. A. Int. Hostel, 3601 S. Gaffey St., Bldg. 613, San Pedro, CA 90731, Tel. (213) 831-8109. – Santa Monica Int. Hostel, 1436 2nd St., Santa Monica, CA 90401, Tel. (213) 393-9913.

YMCA: The Clark Hotel, 426 S. Hill Street, Los Angeles, CA 90013, Tel. (213) 624-4121; Hollywood, 1553 N. Hudson Ave., Hollywood, CA 90028, Tel. (213) 467-4161. Frühzeitig reservieren!

Rest.: „Marix", 1108 N. Flores St. (West Hollywood); „The Old Spaghetti Factory", 5939 Sunset Blvd.; „Empress Pavilion", 988 N. Hill St. (Chinatown); „Lawry's The Prime Rib", 55 N. La Cienega Blvd.; „Musso & Frank Grill", 6667 Hollywood Blvd.; „Dar Maghreb", 7651 Sunset Blvd.; „Shanghai Red's", 13813 Fiji Way (Marina Del Rey).

***San Francisco

Der nordkalifornische Haupthafen San Francisco ist mit seinen 732 000 Einwohnern zwar „nur" die viertgrößte Stadt Kaliforniens, doch nach Lage, Bedeutung und Beliebtheit für viele Besucher das Zentrum des pazifischen Westens der USA. Lage und Klima tragen sehr dazu bei, dieser Stadt auf ihren Hügeln an der großen Bucht hinter dem Felsentor zum offenen Meer, dem Golden Gate, ihren besonderen Ruf und Reiz zu verleihen.

Die Stadt liegt im nördlichen Teil einer etwa 12 km breiten Halbinsel, die vom Pazifik im Westen, vom Meeresarm des Golden Gate im Norden und der San Francisco Bay im Osten umspült wird. Diese Wasserflächen auf drei Seiten der Stadt wirken sich wie eine im Sommer kühlende, im Winter wärmende Klimaanlage aus, wobei eine kühle Meeresströmung vor diesem Teil der kalifornischen Küste das ihre dazu beiträgt.

Dem kalten Meerwasser hat San Francisco das meteorologische Phänomen seines „Sommernebels" zu verdanken, der dort entsteht, wo warme Festlandluft auf die kühle Meeresluft stößt. So ist es in den sommerlichen Monaten von Mitte Mai bis Anfang September die Regel, daß dieser Nebel vormittags vom Golden Gate her die halbe Stadt einhüllt, sich aber landeinwärts und über der Bay auflöst, wo die Lufttemperaturen bedeutend höher sind. Diese natürliche „Klimaanlage" verschafft der Stadt auch im Sommer eine erfrischende, prickelnde, aktivierende Luft, die der Stadt viel von ihrem speziellen Charakter gegeben hat. Im Winter sinkt die Temperatur selten unter 10°C, im Sommer steigt sie kaum über 25°C, am ehesten im September, dem wärmsten Monat. Von November bis April können pazifische Stürme regnerische Tage bringen.

San Francisco ist das Zentrum der sog. Bay Area mit einer Reihe von Städten an den Ufern der weiten Bucht, die hinter dem Golden Gate mit einer Wasserfläche von 1166 km² und einer Nord-Süd-Ausdehnung von etwa 80 km und einer Breite bis zu 20 km einen großen Binnensee bildet. In diesem Gebiet und seinem Hinterland zwischen Vallejo im Norden und San Jose im Süden leben über 6 Mio. Menschen, davon etwa 85 % in den Städten an oder nahe der Bay, die durch fünf große Brücken überspannt wird. Die berühmteste ist die Golden Gate Bridge, die San Francisco mit dem Nordwesten der Bay Area und der nordkalifornischen Pazifikküste verbindet. Nach Osten überspannt die Bay Bridge die Bucht zur Insel Yerba Buena und dann weiter nach Oakland auf dem Ostufer mit einer Gesamtlänge von 13,3 km. Diese gigantischen Brückenbauwerke wurde 1936 und 1937 fertiggestellt und sind seither die vielbewunderten Wahrzeichen der pazifischen Metropole.

GESCHICHTE

Erst 1769 entdeckte eine Gruppe von Spaniern von den Hügeln aus, auf denen jetzt San Francisco liegt, die San Francisco Bay. 1776 legten die Spanier am Golden Gate ein Presidio (s. S. 34) und gut 6 km in südöstlicher Richtung landeinwärts die Mission San Francisco de Asís an, die bald nach einer nahen Lagune nur noch Mission Dolores (s. S. 35) genannt wurde. In der Nähe der Missionsstation entstand das Dorf Yerba Buena, das völlig unbedeutend blieb, bis die mexikanische Regierung den kleinen Hafen in der San Francisco Bay 1836 zum Handelshafen ausbaute.

Nach der Übernahme (1846) des Ortes durch die USA wurde der Name in San Francisco umgeändert (1847). Im Zusammenhang mit den Goldfunden begann für San Francisco ein stürmisches Wachstum (1850 schon 35 000 Einw.; Los Angeles hatte um diese Zeit erst 1610 Einw.), das auch nach dem Rückgang der Goldförderung (1855) dank der Bedeutung, die der Hafen inzwischen gewonnen hatte, nicht aufhörte. 1850 erhielt San Francisco Stadtrechte.

1906 vernichtete ein schweres Erdbeben mit folgendem Großfeuer einen wesentlichen Teil der Stadt, aber schon 1915 konnte San Francisco zur Eröffnung des Panama-Kanals die Panama Pacific International Exposition veranstalten. 1936 wurde die San Francisco–Oakland Bay Bridge und 1937 die Golden Gate Bridge eröffnet und der wirtschaftliche Zusammenschluß der um die Buchten herum gelegenen Städte wesentlich erleichtert. Von Ende April bis Ende Juni 1935 tagten in San Francisco Delegierte aus vielen Ländern der Erde; das Ergebnis der Tagung war die Gründung der Vereinten Nationen.

Im Oktober 1989 wurde die Stadt ein weiteres Mal von einem schweren Erdbeben

Alamo Square

erschüttert. Die Schäden hielten sich zwar in Grenzen, es machte aber bewußt, wie gefährdet das auf der berühmten St.-Andreas-Falte sitzende San Francisco ist.

SEHENSWÜRDIGKEITEN

Durch die Stadt und ihre nähere Umgebung führt eine mit Seemövensymbolen markierte Strecke von 49 Meilen (ca. 80 km), die die meisten nennenswerten Sehenswürdigkeiten berührt. Im Visitor Information Center (s. S. 41) erhält man hierzu Karten und Informationen.

Civic Center [1]. Den Mittelpunkt des Center bildet die Civic Center Plaza. Unter diesem Platz befindet sich die *Brooks Hall* (Ausstellungshalle), die mit dem an der Südseite des Platzes stehenden *Civic Auditorium* (Veranstaltungshalle mit 8000 Sitzplätzen) verbunden ist. Östlich des Platzes erhebt sich die *San Francisco Public Library*. Die Nordseite des Platzes wird vom State Building eingenommen. Die Westseite des Platzes wird von der *City Hall* beansprucht, deren Kuppel fast 5 m höher ist als die des Capitols in Washington. Westlich der City Hall stehen an der Van Ness Avenue nebeneinander das *Veterans Memorial Building,* in dem das Herbst Theater (Schauspielhaus) und die Kunstausstellungen des Museum of Modern Art (⊙ Di–Fr 10–17, Do bis 21, Sa und So 11–17 Uhr) untergebracht sind, und das *Opera House,* in dem 1945 die UNO gegründet wurde (Opernsaison ab Mitte Sept. 12 Wochen; Opernfestival im Juni/Juli; Ballett von Anfang Jan. bis Mitte Mai). Südlich der Oper liegt die *Davies Symphony Hall.* Die über 3000

Personen fassende Konzerthalle ist eine der größten in den USA und gleichzeitig Stammhaus des *San Francisco Symphony Orchestra* (Spielzeit September–Mai).

Union Square [2] ist das Zentrum des Geschäftsviertels von San Francisco. Mitten auf dem Platz steht eine rund 30 m hohe Säule, die an eine für die USA siegreiche Seeschlacht im Spanisch-Amerikanischen Krieg (Kubakrieg, 1895–1898) erinnert. An den vier Straßen, die den Platz begrenzen (Geary, Powell, Post und Stockton) befinden sich Büros der Luftfahrtgesellschaften und viele elegante Geschäfte.

**Chinatown [3] – Hauptstraße ist die Grant Street, mehr Lokalkolorit als diese Touristenmeile bietet aber die Stockton Street – ist der Einwohnerzahl (65 000) nach die größte außerasiatische Chinesenstadt. Da der Verkehr in ihren von Geschäften und Restaurants gesäumten Straßen meist sehr dicht ist, empfiehlt es sich, zu Fuß einen Bummel zu machen.

Im mittleren Teil der Chinatown, und zwar östlich der Grant Avenue zwischen Washington und Clay Street, liegt an der Kearny Street der *Portsmouth Square.* Von ihm aus kann man auf einer Fußgängerbrücke über die Kearny Street hinweg zum *Chinese Culture Center* (750 Kearny St.) gelangen, in dem in wechselnden Ausstellungen chinesische Kunst gezeigt wird. Im Nordteil der Chinatown schließlich steht am Adler Place das *Chinese Historical Society of America Museum,* dessen Sammlungen einen Überblick über die etwa hundertjährige Geschichte der Chinesen in den USA geben (⊙ Mi–So 12–16 Uhr). – Chinatown ist in der Woche des chinesischen Neujahrsfestes (Ende Januar/Anfang Februar) besonders besuchenswert.

Die Grant Avenue führt weiter nach Norden und durchquert die *North Beach Area,* ein großenteils bohemehaftes Viertel, dessen Bewohner vielfach italienischer Abstammung sind (viele gute Restaurants und Nachtlokale). Im Norden dieses Gebietes wird die Grant Avenue von der Lombard Street gekreuzt, auf der man zur Kearny Street fährt. Von dieser führt der Telegraph Hill Boulevard hinauf zum

Telegraph Hill [4]. Auf diesem rund 84 m hohen Hügel steht der zylindrische *Coit Tower* (64 m; Aufzug; ⊙ tägl. 10–17.30

Sehr geehrter Polyglott-Benutzer,

die Polyglott-Redaktion ist immer darum bemüht, die Polyglott-Reiseführer auf dem neuesten Stand zu halten. Sie können uns mit Ihren persönlichen Erfahrungen und Beobachtungen dabei sehr helfen. Schreiben Sie uns doch bitte mit der eingehefteten Postkarte, wenn Sie Korrekturen für den vorliegenden Polyglott-Band vorschlagen wollen.

Mit bestem Dank im voraus.
POLYGLOTT-Redaktion

Zuerst hier abtrennen!

Mein Korrekturvorschlag:

Polyglott-Reiseführer Nr. _____ **Titel** _____ Auflage (siehe S. 2 unten) _____

Seite	Korrekturvorschlag

Jede Karte mit Korrekturvorschlägen, die bei uns eingeht, nimmt unter Ausschluß des Rechtsweges an einer **Verlosung** teil: Jeweils am 15. Oktober jeden Jahres werden 10 „Langenscheidts Elektronisches Wörterbuch" Spanisch und Italienisch verlost. Überdies gewinnt jede zehnte Karte einen Polyglott-Menü-Sprachführer.

PS: Bitte haben Sie Verständnis dafür, daß wir nicht auf jede eingesandte Karte persönlich reagieren können.

Die Polyglott-Redaktion dankt für Ihre Mitwirkung!

Polyglott führt: Wohin Sie auch reisen.

☐ ☐ Englisch Italienisch

☐ ☐ Französisch Spanisch

Als Preis hätte ich gern den Polyglott-Menü-Sprachführer

Datum/Unterschrift

PLZ/Ort

Straße/Hausnummer

Absender

An den

Polyglott-Verlag

Postfach 40 11 20

8000 München 40

Bitte als
Postkarte
freimachen

Uhr), von dem aus man Russian Hill und Nob Hill, das Golden Gate und Teile der San Francisco Bay sieht. Beachtenswert ist auch das Christoph-Kolumbus-Denkmal auf der Aussichtsterrasse vor dem Turm.

Man fährt die Lombard Street nach Westen bis zur Powell Street. Diese führt nach Norden zur

North Waterfront, der Golden-Gate-Küste von San Francisco, an der es viele Sehenswürdigkeiten gibt. Beiderseits der Ecke Taylor und Jefferson Street befindet sich der *Fisherman's Wharf [5], ein beliebtes Touristenziel mit vielen Restaurants. Am *Hyde Street Pier* liegt der Dreimaster „Balclutha", der von etwa 1880 bis 1920 17mal um Kap Hoorn segelte (heute Museum; ⊙ tägl. 10–17 Uhr, im Sommer länger geöffnet). Etwas weiter östlich befindet sich der *Pier 39,* ein mit alten Balken restaurierter Pier mit vielen Geschäften und Restaurants. An der benachbarten Jefferson Street liegen das *Ripley's Believe It or Not Museum* (Haus 175; Kuriositätenmuseum; ⊙ im Sommer So–Do 9–24, sonst 10–22 Uhr, Fr und Sa ganz-

jährig 10–24 Uhr) und die *Cannery,* eine 1894 erbaute Obstkonservenfabrik, in der sich heute Geschäfte, Cafés und Märkte versammelt haben, die zu besuchen sich lohnt. Ein weiteres Geschäftszentrum ist der *Ghirardelli Square* [6].

Nördlich dieses Komplexes befindet sich der *Aquatic Park* [7] mit dem *National Maritime Museum* (vor allem Schiffsmodelle) und dem *Maritme State Historical Park* (fünf alte restaurierte Schiffe; ⊙ beide Museen 4. Juli bis Labor Day tägl. 10–18, sonst bis 17 Uhr).

Angrenzend an das Meeresmuseum liegt an der Bay Street der Komplex des *Fort Mason,* ein aufgelassener Armeestützpunkt aus dem Zweiten Weltkrieg, heute Teil eines Parks, der zu einem Kulturzentrum ausgebaut werden soll. In den renovierten Militärbaracken befinden sich sechs kleine Museen (u. a. Museo Italo Americano, Mexican Museum, African American Historic Society). Auch ein restauriertes Liberty-Schiff kann besichtigt werden (⊙ Mi–So 12–17 Uhr).

Auf dem *Marina Boulevard* geht man in das Viertel *Marina* [8] (Marina Park;

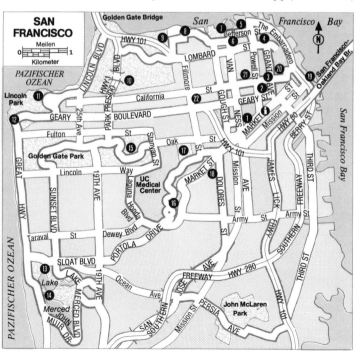

Jachthafen), das beim Erdbeben von 1989 schwer beschädigt wurde, und von dort auf der *Baker Street* zum *Palace of Fine Arts* [9] (1915 für die Panama Pacific International Exposition erbaut, seit 1969 Exploratorium für Kunst, Wissenschaft und Technologie; ☉ Mi–Fr 13–17, Mi bis 21.30, Sa und So 10–17 Uhr).

Die Baker Street führt zur *Lombard Street,* von der aus man einen Abstecher zu der zwei Blocks weiter südlich verlaufenden *Union Street* machen sollte. Diese Straße ist zwischen Fillmore Street und Van Ness Avenue, in der sog. *Cow Hollow,* eine Straße der Kuriositäten- und Spezialitätengeschäfte, der Kunstgalerien und netter Restaurants. – Nach Westen zu führt die Lombard Street zum

Presidio [10], einem rund 590 ha großen Militärreservat (nur teilweise für die Öffentlichkeit gesperrt), das um das 1776 von den Spaniern angelegte Presidio (Fort) herum entstanden ist. Der Presidio-Bezirk ist heute in erster Linie ein Waldpark, Teil der beiderseits des Golden Gate gelegenen *Golden Gate National Recreation Area,* und wird von der Bevölkerung von San Francisco gern aufgesucht. Durch den Bezirk verlaufen die beiden zur Golden Gate Bridge führenden Straßen 101 und 1. Für die Durchfahrt bevorzugt man aber von der Lombard Street aus den Lincoln Boulevard, der sich am Letterman General Hospital (1870), am Officers' Club und am National Cemetery entlangschlängelt.

Nahe dem nördlichsten Punkt dieses Boulevards zweigt die Long Avenue ab, auf der man zum *Fort Point* gelangt (1853 an der Stelle eines spanischen Forts erbaut, 1914 aufgegeben; ☉ tägl. 10–17 Uhr).

Der Lincoln Boulevard führt im Ostteil des Presidio-Bezirks nach Süden zum an der Pazifikküste gelegenen *Lincoln Park.* In ihm steht der

*Palace of the Legion of Honor [11]. In dieser Kunstgalerie (☉ Mi–So 10–17 Uhr) ist vor allem europäische Kunst aus dem 18. und 19. Jh. zu sehen, darunter sehr viel französische dekorative Kunst. Die Bildhauerei ist mit Werken von *Rodin* vertreten.

Der Legion of Honor Drive geht an der Grenze des Golfplatzes in die 34th Avenue über, von der man nach rechts in den Geary Boulevard einbiegt, von dem an der 39th Avenue die Point Lobos Avenue abzweigt. Die Avenue endet an der Pazifikküste im *Sutro Heights Park.* Dort steht an der Steilküste das

Im Asian Art Museum

*Cliff House [12]. Das Restaurant nimmt die Stelle ein, an der das Landhaus von Adolph Sutro (er verdankte sein Vermögen der Silbermine Comstock Lode, Virginia City, Nevada) gestanden hat. Von den Terrassen des Restaurants aus hat man den schönsten Blick auf den sich weit nach Süden erstreckenden Ocean Beach, vor allem aber sieht man die im Westen gelegenen *Seal Rocks,* Felseninseln, auf denen sich von August bis Mai einige hundert Seelöwen aufhalten.

Man fährt nun auf dem Great Highway an der Ocean Beach nach Süden und kommt, vorbei am *Golden Gate Park* (s. S. 35), zu dem nach links abzweigenden Sloat Boulevard mit den

Zoological Gardens [13]. Man kann mit dem Zebra Zephir eine etwa 25 Minuten dauernde Rundfahrt durch das 25 ha große Gelände machen (die Rundfahrten beginnen alle halbe Stunde am Giraffengehege in der Nähe des Haupteingangs). Ein Zoo für Kinder und ein Affengehege (Primate Discovery World) mit 16 Primatenarten sind bei den jüngsten Besuchern besonders beliebt (☉ tägl. 10–17 Uhr; Löwenfütterung 14, Elefantenfütterung 15.30 Uhr).

Man fährt auf dem Great Highway weiter nach Süden und umrundet dann auf dem Skyline Boulevard, dem John Muir Drive und dem Lake Merced Boulevard das Erholungs- und Sportgebiet des *Lake Merced* [14], der auch Laguna de Nuestra

Señora de la Merced genannt wird, und kommt über den Gellert Drive wieder zum Sloat Boulevard, um auf dem Sunset Boulevard zum

*Golden Gate Park zu fahren. Der über 400 ha große Landschaftspark wurde ab 1887 angelegt und ist einer der größten und schönsten Stadtparks der Erde.

Im westlichen und mittleren Teil des Parks gibt es etliche künstliche Seen, darunter den *Spreckels Lake* (für Segelbootmodelle reserviert) und den *Stow Lake* (Elektromotorboote, Ruderboote, Pedalos). Hinzu kommen zahlreiche Grünflächen, Spazierwege, Grillplätze und Sporteinrichtungen (Golf, Tennis, Polo etc.). Am Rande des Sees liegt der von der Partnerstadt Taipei gestiftete, aus 6000 Teilen zusammengesetzte chinesische Pavillon. Im *Buffalo Paddock* sind Büffel, Elche und Rotwild zu sehen.

Sehenswürdigkeiten im östlichen Teil des Parks sind das *Strybing Arboretum* und der *Botanische Garten* mit rund 5000 Pflanzenarten aus allen Teilen der Erde, der **Japanese Tea Garden* [15] mit Teehaus, die *California Academy of Sciences* mit dem Natural History Museum, dem Steinhart Aquarium und dem Morrison Planetarium (🕐 tägl. 10–17 Uhr, im Sommer bis 19 Uhr; im Planetarium Vorführungen tägl. um 14, im Sommer und an Wochenenden häufiger) und schließlich das *Conservatory* (Gewächshaus; 🕐 tägl. 10–17 Uhr, im Sommer bis 18 Uhr). Das *M. H. de Young Memorial Museum* (Gemälde, Skulpturen, Glasmalerei u. a.; 🕐 Mi–So 20–17 Uhr) befindet sich ebenfalls im Golden Gate Park, Music Concourse.

Asian Art Museum. Das Museum ist in dem Gebäude des De Young Memorial Museum untergebracht. Es enthält die ***Avery Brundage Collection*, die der verstorbene Mäzen und langjährige Präsident des Internationalen Olympischen Komitees mit der Auflage an San Francisco vergab, ein permanentes Museum für die Sammlung zu errichten.

Man verläßt den Golden Gate Park an der Ostseite, wo der fast durch den ganzen Park führende John F. Kennedy Drive auf die Stanyan Street stößt. Von dieser fährt man auf der Parnassus Avenue am *Medical Center* der *University of California* vorbei zur Seventh Avenue und von dieser auf dem Laguna Honda Boulevard und der Woodside Avenue zum Portola Drive. Der Twin Peaks Boulevard führt zu den

Twin Peaks [16], einem Doppelberg (daher der Name, der Zwillingsgipfel bedeutet) von 275 und 277 m Höhe. Um die beiden Gipfel führt ein eine Acht bildender Fahrweg herum und hinauf zum Aussichtspunkt. Von dort hat man den besten Blick über San Francisco.

Für die Weiterfahrt benutzt man den Twin Peaks Boulevard und den Monument Way und kommt schließlich zu der um den *Buena Vista Park* [17] herumführenden Buena Vista Avenue, von der nach Osten die Duboce Avenue abzweigt. Von dieser kommt man über die Market Street zur Dolores Street, an der nahe der Kreuzung der 16th Street die

*Mission Dolores [18] liegt. Es handelt sich hier um die 1776 gegründete und zunächst San Francisco de Asis genannte Franziskanermission, die als Keimzelle der Stadt gilt. Sie war die sechste in der Reihe der von den Franziskanern angelegten Missionen. Neben der Kirche, die an spanisch-mexikanische Kirchen erinnert, liegt der ehemalige Friedhof mit Gräbern aus den ersten Jahrzehnten der Mission und der Ansiedlung San Francisco. Die Gebäude, das kleine Museum (Handschriften, Kult- und Gebrauchsgegenstände) und der Friedhof können von Mai bis Oktober von 9–16 Uhr besichtigt werden (Fei geschlossen).

Die Dolores Street mündet auf die Army Street, der man nach Osten bis zum Highway 280 (Southern Frwy.) folgt. Die Berry Street (oder Townsend St.) führt zur Küstenstraße The Embarcadero. Nördlich der Mission Street liegt am Ufer das

Ferry Building [19]. Von dort verkehrte auch nach Fertigstellung (1936) der nahe gelegenen San Francisco–Oakland Bay Bridge noch bis 1958 die Fähre nach Oakland (heute Ausgangspunkt der Fähre nach Sausalito).

Schräg gegenüber ragen an der weitläufigen *Justin Herman Plaza* die graziösen Bürotürme des neuerbauten *Embarcadero Center* auf. Der Komplex umfaßt vier Straßenzüge. Die mit Skulpturen versehenen unteren Etagen werden von Läden, Galerien und Restaurants eingenommen.

Vom Embarcadero fährt man durch die Washington Street zur *Montgomery Street* [20], die sich nach Süden bis zur Market Street hinzieht und die Wall Street (Banken- und Finanzstraße) des amerikanischen Westens ist. An der von

Wolkenkratzern flankierten schmalen Straße und in ihrer Nähe stehen unter anderem der pyramidenartige Bau der *Transamerica Corporation* (mit 48 Stockwerken und 260 m als höchste Gebäude der Stadt und zugleich ein Wahrzeichen), die *Bank of America* (52 Stockwerke und 237 m hoch) und das *Wells Fargo Building* (44 Stockwerke und 171 m hoch), in dessen 16. Stockwerk die *Montgomery Lane,* ein schönes Einkaufszentrum, eingerichtet ist. Die im Restaurant ausgestellten Gegenstände sind aus dem *Wells Fargo Bank History Museum,* das sich 420 Montgomery Street befindet; in ihm werden für die Geschichte des amerikanischen Westens bedeutende Gegenstände gezeigt (🕐 Mo–Fr 9–17 Uhr, Fei geschlossen).

Von der Montgomery Street aus fährt man auf der rechtwinklig zu ihr verlaufenden California Street durch den Südteil der Chinatown (s. S. 32) zum 103 m hohen

Nob Hill [21]. Auf dem Hügel standen bis zum Erdbeben von 1906 die schönsten Häuser der Stadt. Erhalten blieb nur das *Flood House* (westlich der Mason Street an der California Street; heute Pacific Union Club). Auch heute ist der Nob Hill der Hügel der gehobenen Kreise, obwohl Hochhäuser die noblen Paläste ersetzt haben. Aus der Architektur ragen die Luxushotels „Fairmont" (California & Mason Street) und „Mark Hopkins" (999 California Street) heraus. Weiter westlich steht (California & Jones Street) die neugotische *Grace Cathedral* (Kathedrale der Episkopalkirche) von 1910 mit einer Nachbildung von Ghibertis Paradiestür am Baptisterium in Florenz und einigen originalen Kunstschätzen aus Europa im Innern.

Die California Street führt zur Van Ness Avenue. Von dort gelangt man in die Geary Street und kommt am Geary Boulevard in die sich nach Westen bis zur Fillmore Street erstreckende

Japantown [22], in der etwa 12 000 Japaner leben. Dieses Viertel ist erst durch das *Japanese Cultural and Trade Center* auch touristisch interessant geworden. Die Bauten dieses nicht zuletzt wegen seiner Geschäfte besuchenswerten Zentrums stehen an Post Street und Geary Boulevard zwischen Laguna Street und Fillmore Street. Auf der *Peace Plaza* steht in einem Teich die gut 10 m hohe, fünfgliedrige *Peace Pagoda.* Mitte April findet hier ein großes Kirschblütenfest mit Parade und Kulturveranstaltungen statt.

Cable Car (Drahtseilbahn). Diese altertümliche, aber von Bewohnern wie Touristen gleichermaßen heißgeliebte Bahn, der man auf der 49-Meilen-Rundfahrt mehrfach begegnet, ist eine der Attraktionen von San Francisco. Nach einer Generalüberholung ist die Cable Car seit 1984 in altem Glanz wieder in Betrieb.

Die Bahn verkehrt auf drei Strecken, deren Verlauf auch auf der Außenseite der Wagen angegeben ist. 1) California-Street-Strecke: zwischen Market Street und Van Ness Avenue; eine schnurgerade Ost-West-Strecke mit dem Nob Hill als höchstem Punkt. 2) Powell-Mason-Line: Sie verkehrt von der Powell Street Station Ecke Market Street über die Mason Street zur Taylor Street Ecke Bay Street, in der Nähe von Fisherman's Wharf. An der Powell Street Station befindet sich auch das Informationszentrum der Stadt (Hallidie Plaza). 3) Powell-Hyde-Line: Sie verkehrt von der Powell Street Station über die Jackson Street (in der Nähe von The Cannery). Mit dieser Linie fährt man auch am Lombard Street Hill vorbei, einer einspurigen, kurvenreichen und steilen Straße (schöne Aussicht über die Stadt).

Einen Platz in der Cable Car zu bekommen, ist meist nicht leicht, da sie in der Regel überfüllt ist. Wer sich für die technische Seite des Betriebs interessiert, sollte die *Cable Car Barn* (1201 Mason Street, Ecke Washington Street, 🕐 tägl. 10–18 Uhr) besuchen; man sieht dort die riesigen Drahtseilräder und kann sich außerdem in einem Museum die erste Cable Car und sonstige Ausstellungsstücke zur Geschichte der Stadt ansehen.

Market Street. Diese beiläufig schon mehrmals erwähnte Straße reicht vom Ferry Building bis zum Fuß der Twin Peaks und ist eine der Hauptverkehrsstraßen der Stadt. Im Rahmen eines Verschönerungsprogramms wird versucht, in dieser Straße trotz moderner Bauten ein wenig das Flair von Alt-San-Francisco zu erhalten. An Bauten und Einrichtungen sind an der Market Street beachtenswert: das einen kleinen Park überragende *Crown Zellerbach Building* an der Ecke Market und Bush Street; das „Sheraton Palace Hotel" (Ecke Market und New Montgomery Street), das 1875 eröffnet und nach dem Erdbeben von 1906 restauriert wurde und in dem heute noch die Atmosphäre von Old San Francisco be-

Cable Car

sonders stark erhalten ist; das 38stöckige *Crocker Building* in dem Dreieck Post – Montgomery – Market Streets; eine der Drehscheiben der Cable Car an der Kreuzung Powell und Market Street; die *Standard Oil Company Plaza* (555 Market Street), eine sehr reizvolle Anlage mit dem Bürohaus der Standard Oil Company/ Chevron USA Inc., in dessen Altbau-Erdgeschoß (das Gebäude ist 43 Stockwerke hoch) sich eine Dauerausstellung zur Geschichte der Erdölförderung im amerikanischen Westen, „A World of Oil" genannt, befindet (🕐 Mo–Fr 8–16 Uhr, Fei geschlossen; Multimedia-Programme). Südlich der Market Street liegt an der Howard Street zwischen Third und Fourth Street das *Moscone Convention Center,* eines der größten Konferenzzentren der USA.

RUNDFAHRT DURCH DIE BAY AREA VON SAN FRANCISCO

Die Landschaften, Städte und Ansiedlungen rund um die weite San Francisco Bay werden von den Einheimischen kurz Bay Area genannt. Eine Rundfahrt durch dieses Gebiet kann unterteilt oder abgekürzt werden, wenn man nicht die gesamte Bay umrundet, sondern sich der verschiedenen großen Brücken (alle mautpflichtig in Richtung San Francisco) bedient, die die Bay überspannen. Neben der Golden Gate Bridge und der Bay Bridge von San Francisco nach Oakland sind dies die Richmond–San Rafael Bridge (fast 9 km lang) im Norden der Bay, die San Mateo–Hayward Bridge (über 11 km lang) über den südlichen Teil der Bay und die Dumbarton Bridge (über 10 km lang, davon nur 2 km über der Bay) noch weiter im Süden. Die Rundfahrtbeschreibung führt zuerst nach Norden und dann im Uhrzeigersinn um die San Francisco Bay herum.

Golden Gate Bridge, das Ausfalltor der Stadt nach Norden, ist 2,8 km lang und hat zwischen ihren beiden 227 m hohen rötlichen Pylonen eine Spannweite von 1280 m. Die Strömungen in dem etwa 2 km breiten Wasserweg, der das offene Meer und die Bay verbindet, sind wegen der hohen Gezeitendifferenz sehr reißend, daher war es äußerst schwierig, die Fundamente für die Pylonen zu legen. Die Brücke wurde von 1933 bis 1937 erbaut, ihr Baumeister war *Joseph B. Strauss* (1870–1938). Sie gehört zu den berühmtesten Brücken der Welt und gilt in technischer Hinsicht auch heute noch als Spitzenleistung der Brückenbaukunst. Ein Gang über die mittlerweile 50 Jahre alte Brücke bietet eindrucksvolle Blicke auf Golden Gate, Bay und Stadt, auch ist sie eine sehr beliebte Jogging-Strecke. Jenseits der Brücke befindet sich eine Aussichtsplattform mit Parkplätzen (schöner Blick auf die Brücke und die Downtown von San Francisco), von dort kann man zur

Golden Gate National Recreation Area gelangen, einer früher als militärisches Gebiet gesperrten Hügellandschaft über dem Nordufer des Golden Gate mit sehr eindrucksvollen Perspektiven auf Brücke und Bay. Zu der Recreation Area gehört auch das westlich der Fisherman's Wharf gelegene *Fort Mason* (s. S. 33).

Östlich der Brücke liegt in der Bay die frühere Gefängnisinsel *Alcatraz,* deren zum Teil verfallene Bauten besichtigt werden können. Berühmte Gangster wie Al Capone, „Machine Gun" Kelley und Robert Stroud saßen in diesem früher als absolut ausbruchssicher geltenden Gefängnis (2 Stunden dauernde Führungen; Abfahrt am Pier 41 von Fisherman's Wharf, Platzreservierung unter Tel. 392-7469).

Die Golden Gate Bridge verbindet San Francisco mit einer hügeligen Halbinsel, die den südlichsten Teil der

Marin County bildet. Auf dieser Halbinsel erreicht man, den Highway 101 kurz nach Überqueren des Golden Gate rechts verlassend, das Künstlerstädtchen *Sausalito* (7000 Einw.; gute Restaurants und Souvenirgeschäfte; 🅰), in dem sich das San Francisco Bay and Delta Hydraulic Model (2100 Bridgeway; Auskunft über Führungen unter Tel. 332-3870) befindet. Zu Forschungszwecken werden vom U.S. Army Corps of Engineers im Modell Gezeiten, Strömungen, Vermischung von Süß- und Salzwasser und Ablagerungen künstlich hervorgerufen. 777 Bridgeway liegt *Village Fair,* einst chinesische Spielhölle, Opiumhöhle und Gangsterunterschlupf, heute ein Komplex aus mehreren besuchenswerten Geschäften.

Man fährt an der Richardson Bay weiter nach Nordwesten, kommt bei *Marin City* (1650 Einw.) wieder auf den Highway 101 und verläßt ihn nördlich des Ortes zu einem Abstecher an die Pazifikküste.

Muir Woods National Monument ist ein Teil des großen Mount Tamalpais State Park, der nach dem fast 800 m hohen

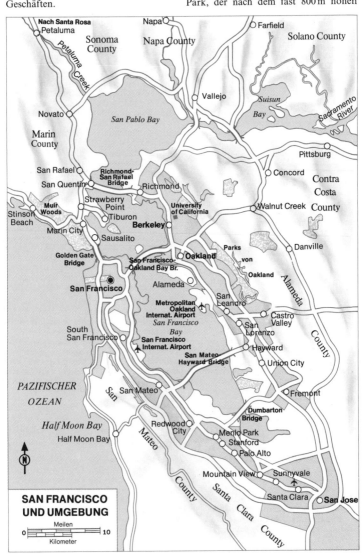

Nach Santa Rosa
Petaluma
Napa
Farfield
Sonoma County
Napa County
Solano County
Petaluma Creek
Vallejo
Suisun Bay
Sacramento River
Novato
San Pablo Bay
Marin County
Pittsburg
San Rafael
Richmond-San Rafael Bridge
Richmond
Concord
Contra
San Quentin
University of California
Walnut Creek
Costa County
Strawberry Point
Muir Woods
Stinson Beach
Tiburon
Berkeley
Marin City
Sausalito
Parks
Danville
Golden Gate Bridge
San Francisco-Oakland Bay Br.
Oakland
von
San Francisco
Alameda
Oakland
San Leandro
Metropolitan Oakland Internat. Airport
San Francisco Bay
Castro Valley
Alameda County
South San Francisco
San Lorenzo
San Francisco Internat. Airport
Hayward
San Mateo Hayward Bridge
Union City
PAZIFISCHER OZEAN
San Mateo
Fremont
Half Moon Bay
Dumbarton Bridge
Half Moon Bay
Mateo
Redwood City
Menlo Park
Stanford
Palo Alto
County
Mountain View
Sunnyvale
Santa Clara
San Jose
Santa Clara County

SAN FRANCISCO UND UMGEBUNG

Meilen
0 ——————— 10
Kilometer

Mount Tamalpais (schöne Aussicht; Fahrstraße führt bis in die Nähe des Gipfels) benannt ist. In dem Naturschutzgebiet Muir Woods National Monument sind bis zu 2000 Jahre alte Redwoods (eine Mammutbaumart, Sequoia sempervirens) mit Höhen von mehr als 75 m zu sehen. Innerhalb des Naturschutzgebietes, das von 8 Uhr bis Sonnenuntergang zugänglich ist, dürfen die Wege nicht verlassen werden (Campen, Kochen, Fischen und Jagen verboten).

Am Fuß des Mount Tamalpais liegt an der Pazifikküste das Dorf *Stinson Beach* (600 Einw.; im Sommer doppelt soviel) mit einem etliche Kilometer langen Sandstrand (an sommerlichen Wochenenden meist von Badenden überfüllt; es gibt aber auch abgelegene Abschnitte, die kaum aufgesucht werden). An die Strandzone schließt sich nach Nordwesten die *Bolinas Lagoon,* ein Wasservogelparadies, an. An ihr liegt die *Audubon Canyon Ranch,* auf deren Gebiet sich Reiherkolonien befinden (🕓 von Anfang März bis Anfang Juli tägl., sonst Sa/So 10–16 Uhr).

Die nächste Station am Highway 101 ist *San Rafael* (45 000 Einw.; Hauptstadt der Marin County), das auf die 1817 gegründete **Mission San Rafael Arcángel* zurückgeht (dies war die zwanzigste Franziskanermission). Die 1949 originalgetreu neu errichteten Bauten (1102 Fifth Avenue South/A Street) können täglich von 11–16, So ab 10 Uhr besichtigt werden. Der großartige Komplex des Marin County Civic Center wurde von Frank Lloyd Wright (1869–1959) entworfen und war eine seiner letzten größeren Arbeiten (🕓 Mo–Fr 8.30–16.30 Uhr, Fei geschlossen).

Man fährt von San Rafael aus auf dem Highway 101 zurück bis zur Abzweigung (links) des Highway 17, der – vorbei an der berühmt-berüchtigten Gefängnisanlage *San Quentin* – über die Richmond–San Rafael Bridge zwischen San Pablo Bay im Norden und San Francisco Bay nach *Richmond* (75 000 Einw.) hinüberführt, das zur Contra Costa County gehört. Auf dem Highway 80 erreicht man in nördlicher Richtung nach einigen Kilometern *Vallejo* (89 000 Einw.), dessen *Marine World Africa USA* (Marine World Pkwy.) Delphine, Seelöwen, Tiger, Elefanten, Schimpansen und andere Tiere in natürlicher Umgebung und in einigen Shows vorführt (🕓 tägl. 9.30–18.30, im Winter bis 17 Uhr).

Südlich von Richmond, am Ostufer der San Francisco Bay, liegt

Berkeley (104 000 Einw.). Die 1841 gegründete Stadt (1878 Stadtrechte) besitzt wichtige Lehrinstitute, sehr schöne, meist aus Einfamilienhäusern bestehende Wohnviertel und vor allem einen wesentlichen Teil der *University of California.* Diese kalifornische Staatsuniversität setzt sich aus Colleges in *Berkeley* (Hauptsitz; gegründet 1868), *Davis* (1905), *Irvine* (1960), *Los Angeles* (1919), *Riverside* (1868), *San Diego / La Jolla* (1912), *San Francisco* (1970), *Santa Barbara* (1944) und *Santa Cruz* (1965) zusammen.

Der Campus von Berkeley liegt in dem bis zu 455 m ansteigenden Ostteil der Stadt. Ecke Oxford und University Avenue befindet sich in der *University Hall* ein Besucherzentrum. Hier beginnen werktags um 13 Uhr Führungen durch das Universitätsgelände (Tel. 642-5215). Von den Bauten sind zu nennen: der 93 m hohe *Campanile* (🕓 Mo–Sa 10–16.15 Uhr; Aufzug zur Aussichtsterrasse); das *Greek Theatre* (1903 von dem Zeitungskönig William R. Hearst geschenkt); die *Kroeber Hall* mit dem Lowie Museum of Anthropology (🕓 Mi–Fr 10–16.30, Sa/So ab 12 Uhr); das *International House* (Wohnheim für in- und ausländische Studenten; Schenkung von John D. Rockefeller jr.); der *Botanische Garten* mit einer großen Sammlung von Kakteen sowie einem interessanten chinesischen Kräutergarten (🕓 tägl. 9–16.45 Uhr).

Oakland (357 000 Einw.), das südlich von Berkeley liegt, wurde 1850 gegründet und ist heute eine bedeutende Industrie- und Hafenstadt. Ihr historisches Zentrum liegt um den *Jack London Square* im Bereich von Broadway, Webster Street, Embarcadero und Oakland Estuary. An der Ecke Webster Street steht das Haus 90 Jack London Square (Saloon „First and Last Chance"), in dem der aus San Francisco stammende Schriftsteller Jack London (1876–1916) sich oft aufgehalten und einige seiner berühmtesten Romane geschrieben hat. Nahebei liegt am Ende der Alice Street das *Jack London Village* (Geschäfte, Restaurants, Marina am Oakland Inner Harbor).

Nicht weit vom Jack London Square entfernt liegt mitten in der Innenstadt der **Lake Merritt* (mit 63 ha größter innerhalb einer Stadt gelegener Salzwassersee der Erde). An den vor allem bei Wassersportlern beliebten See grenzt ein Park, in dem sich unter anderem ein Kindermärchenland und ein Japanischer Garten befinden. Auf dem See werden im Sommer von 12–17.30 Uhr Rundfahrten veranstaltet. Am Südwestufer des Sees steht an 10th Street und Oak Street das allein der Anlage wegen schon besuchenswerte *Oakland Museum* (in mit Gärten geschmückten Terrassen angelegt), ein Museum der Naturgeschichte, Geschichte und Kunst Kaliforniens (🕐 Mi–Sa 10 bis 17, So 12–19 Uhr). Weiter nördlich steht am Nordwestufer des Sees (300 Lakeside Drive) das *Kaiser Center* (Verwaltungsgebäude des Industriekonzerns Kaiser; Kunstgalerie; Aussichtsplattform, 🕐 werktags 8–18 Uhr; Restaurants).

Die Hügelzone am Ostrand der Stadt wird von Parks eingenommen: *Joaquin Miller Park* (benannt nach dem Dichter Joaquin Miller, 1837–1913; im Woodminster Amphitheater werden im Sommer Musicals aufgeführt); *Redwoods Regional Park* mit vielerlei Sport- und Erholungseinrichtungen; *Anthony Chabot Regional Park* mit dem Lake Chabot (Seerundfahrten). Westlich des zuletzt genannten Parks, also stadteinwärts, befinden sich am McArthur Freeway der *Knowland Park / Oakland Zoo* (🕐 tägl. 10–16 Uhr) und *Dunsmuir House and Gardens* (Herrenhaus von 1899).

Will man sich mit der kürzeren Rundfahrt, die etwa 160 km lang ist, begnügen, so fährt man von Oakland aus über die *San Francisco–Oakland Bay Bridge* nach San Francisco zurück. Diese gut 13 km lange Brücke (1936 eröffnet) stützt sich auf die in der San Francisco Bay gelegene Yerba Buena Island. Sie besteht, von Oakland aus gesehen, zunächst aus einigen Gitterbrücken, sodann aus einer gut 420 m langen Auslegerbrücke, führt dann auf die Yerba Buena Island durch einen Tunnel und schwingt sich schließlich als Hängebrücke nach San Francisco hinüber. Während des Erdbebens von 1989 wurde die doppelstöckige Brücke schwer beschädigt, ist mittlerweile aber wieder repariert.

Auf der größeren Rundfahrt kommt man von Oakland aus auf dem Nimitz Freeway über *San Leandro* (68 000 Einw.), *San Lorenzo* (25 000 Einw.), *Hayward* (104 000 Einw; vor dort San Mateo–Hayward Bridge nach San Mateo) und *Union City* (15 000 Einw.) nach *Fremont,* einer 1956 aus fünf Gemeinden der Alameda County gebildeten Stadt, die heute bereits 154 000 Einwohner hat (1968 lag das Durchschnittsalter der Bevölkerung bei nur 21 Jahren). Von dort führt der Nimitz Freeway über die Grenzen der SMSA San Francisco–Oakland hinaus nach

San Jose (738 000 Einw.). Die im fruchtbaren Santa Clara Valley gelegene Stadt geht auf den 1777 von den Spaniern gegründeten Pueblo de San José de Guadalupe zurück. 1850 wurde der Ort Hauptstadt des nun zu den USA gehörenden Staates Kaliforniens und blieb es bis 1852. Bis nach dem Zweiten Weltkrieg blieb die langsam, aber ständig wachsende Stadt ein Zentrum der Landwirtschaft, des Obstbaus und der Obstkonservenindustrie. Dann setzte eine stürmisch verlaufende industrielle Entwicklung ein. Heute dominieren Elektronik und Automobilindustrie.

Die Sehenswürdigkeiten sind über das ziemlich weite Stadtgebiet verteilt. Im Nordosten liegt an der Alum Rock Avenue der *Alum Rock Park,* der wegen seiner Ähnlichkeit mit dem Yosemite National Park „Little Yosemite" genannt wird (22 Mineralquellen, Sport- und Erholungseinrichtungen). 30 km östlich der Stadt liegt auf dem Mount Hamilton das *Lick Observatory* (tägl. 10–17 Uhr Führungen, u. a. zum 304-cm-Spiegelteleskop).

Im Südwesten steht 525 South Winchester Boulevard das *Winchester Mystery House,* an dem von 1886 bis 1922 im Auftrag von Sarah Winchester, der verwitweten Schwiegertochter des Waffenfabrikanten Oliver F. Winchester, gebaut wurde. Sarah glaubte, daß sie nicht sterben müsse, solange an diesem Haus gebaut werde. So entstand für mehr als fünf Millionen Dollar ein Haus mit 160 Zimmern, einigen tausend Türen und Fenstern, mit vielen oft dreizehnstufigen Treppen, von denen manche nirgendwohin führen, mit Falltüren, geheimen Gängen und anderen Absonderlichkeiten. Das heute restaurierte Haus kann das ganze Jahr über besichtigt werden (Führungen tägl. 9–17.30 Uhr). In einem Teil des Hauses befindet sich ein Museum, in dem vor allem Winchester-Waffen zu sehen sind.

⌂ Hidden Villa Ranch in Los Altos Hills.

Für die Rückfahrt nach San Francisco nimmt man den Highway 82. Man kommt über *Santa Clara* (90 000 Einw.; auf dem Campus der Universität die 1777 gegründete und 1929 originalgetreu wiederaufgebaute Mission Santa Clara, ganztägig geöffnet; ⌂ in Saratoga, Sanborn Park Youth Hostel), über *Sunnyvale* (116 000 Einw.), *Mountain View* (62 000 Einw.) und *Palo Alto* (55 000 Einw.), dessen 1885 gegründete Stanford University (fast 13 000 Studierende) besuchenswert ist (im Hauptkomplex Quadrangle die Memorial Church; nahebei der 87 m hohe Hoover Tower mit Bibliothek und der

Mo–Sa 10–11.45 und 13–16.30 Uhr zugänglichen Aussichtsplattform; Fei geschlossen).

Die Fahrt geht weiter auf dem Highway 82 über *Menlo Park* (26 000 Einw.), *Redwood City* (55 000 Einw.), *San Carlos* (25 000 Einw.) und *Belmont* (27 000 Einw.). Von dort kommt man über *San Mateo* (79 000 Einw.) und durch einige Vororte ins Zentrum von San Francisco zurück (320 km).

PRAKTISCHE HINWEISE

❶ Convention & Visitors Bureau, 201 Third Street (nur schriftliche oder telefonische Anfragen; Tel. 974-6900).

Visitor Information Center, Hallidie Plaza, Powell/Market Sts. (im Untergeschoß, ☾ Mo–Fr 9–17.30, Sa 9–15, So 10–14 Uhr; Tel. 391-2000); Karten, Prospekte u. a. für den 49-Mile-Drive.

✈ International Airport, 24 km südlich der Stadt am Bayshore Highway; Autobuszubringer (Airporter Coaches) und Minibusse (Super Shuttle).

🚌 Autobuszubringer (Transbay Terminal) zum Bahnhof Oakland (Tel. 559-2398); von dort Verbindung u. a. nach Los Angeles, Bakersfield und Reno (Nevada).

🚌 San Francisco gehört zum Netz von Greyhound International (Tel. 558-6789). Das Greyhound Depot befindet sich wie die Terminals der kleineren Busfirmen Trailways (Tel. 982-6400) und Green Tortoise (Tel. 821-0803) Ecke First/Mission Streets.

Der innerstädtische Verkehr liegt in den Händen von S.F. Muni (San Francisco Municipal Railway, Tel. 673-6864; 24-Stunden-Tickets kosten 6 $, 3-Tages-Tickets 10 $), die in erster Linie Autobusse einsetzt (zu ihr gehören aber auch Straßenbahnen und die Cable Car), von BART System (Bay Area Rapid Transit; U-Bahn und Vorortbahn der Stadt) und Golden Gate Transit (hauptsächlich die Busse, die San Francisco über die Golden Gate Bridge mit der Marin County verbinden). AC Transit führt in die Alameda und Contra Costa Counties, SAM-TRANS in die San Mateo County.

Sightseeing- und Ausflugsfahrten mit dem Bus: Gray Line, 350 Eighth Street (Tel. 558-9400).

⛴ Fähren verkehren täglich vom Ferry Building (am Fuß der Market St.) über die Bucht nach Tiburon, Larkspur, Alcatraz und Sausalito. – Blue and Gold Fleet (Tel. 781-7877) und Red and White Fleet (Tel. 546-2896) bieten von Fisherman's Wharf aus Bootsrundfahrten durch die Bay an.

🏨L „Fairmont Hotel and Tower", Nob Hill; „Hotel Westin St. Francis", 335 Powell Street; „Hyatt Regency", 5 Embarcadero Center; „Huntington", Nob Hill; „Miyako", 1625 Post Street; „Berkeley Marina Marriott", 200 Marina Boulevard (in Berkeley); „Sheraton at Fisherman's Wharf", 2500 Mason Street; „Ramada Renaissance Hotel", 55 Cyril Magnin Street.

🏨 „Kensington Park", 450 Post Street; „Carriage Inn", 140 7th Street; „Chancellor", 433 Powell Street; „Cartwright", 524 Sutter Street; „Park Plaza", 150 Hegenberger Road (Oakland); „Beresford Arms", 701 Post Street; „Holiday Inn", 282 Almaden Boulevard (San Jose); „Creekside Inn", 3400 El Camino Real (Palo Alto); „Alta Mira", 125 Bulkley Avenue (Sausalito).

🏨 „Town House", 1650 Lombard St.; „Best Western Grosvenor", 380 South Airport Blvd. (S. San Francisco); „Pensione International", 875 Post St.; „Adelaide Inn", 5 Adelaide Place; „Golden Gate Hotel", 775 Bush St.; „Essex", 684 Ellis St.; „Grant Hotel", 753 Bush St.; „Motel Lodge", 1655 El Camino Real (Santa Clara); „Best Western Sundial", 316 El Camino Real (Redwood City).

🏠 Empfehlenswerte Motels in der Preisklasse unter 40 $ sind in San Francisco höchstens in der Nebensaison im Winter zu finden, am ehesten in der Lombard Street.

🏚 San Francisco International, Building 240, Fort Mason, San Francisco CA 94123, Tel. 771-7277. – San Francisco Summer Hostel, 100 McAllister Street, San Francisco CA 94102, Tel. 621-5809. – Golden Gate YH, 941 Fort Barry, Sausalito CA 94965, Tel. 331-2777. – Point Reyes YH, Pt. Reyes Station CA 94956, Tel. 663-8811. – Pigeon Point Lighthouse Hostel, Pescadero CA 94060, Tel. 879-0633.

Restaurants: „Alioto's", Fisherman's Wharf (mit schöner Aussicht). – „Tadich Grill", 240 California Street (Fischgerichte). – „Harris'", 2100 Van Ness Avenue (Steaks). – „Fog City Diner", 1300 Battery Street. – „Empress of China", 838 Grant Avenue (Chinatown). – „Greens", Building A, Fort Mason (vegetarisch). – „Lehr's Greenhouse", 740 Sutter Street. – „Chez Panisse", 1517 Shattuck Avenue (Berkeley).

Route 1: **Los Angeles – **San Diego – *Joshua Tree N. M. – **Palm Springs – San Bernardino

Zu dieser Fahrt durch den Süden Kaliforniens (750 km) verläßt man Los Angeles auf dem Long Beach Freeway, von dem man in Long Beach auf den Pacific Coast Highway übergeht. Auf ihm kommt man nach Durchfahren von Newport Beach nach Laguna Beach.

Eine große Attraktion entlang der ganzen Küste ist von November bis April das *Whale Watching*. Die Grauwale ziehen dicht an der Küste nach Süden, um etwa auf mittlerer Höhe der Halbinsel Baja California bei der Scammon's Lagoon ihre Jungen zu gebären. Dann ziehen sie wieder nach Norden.

Laguna Beach (19 000 Einw.), das wegen seines schönen Badestrandes viel aufgesucht wird, verdankt seine Bekanntheit und seinen besonderen Charme den Künstlern, die sich in diesem Städtchen niedergelassen haben. Im Juli/August findet eine Kunstausstellung im Rahmen des großen Festival of Arts and Pageant of the Masters statt. Im Mittelpunkt des Winter-Festivals stehen die Arbeiten des Kunstgewerbes, das in Laguna Beach ebenfalls eine große Rolle spielt. Die Strände dieser Region und das im Sommer angenehm warme Wasser des Pazifik sind ein Paradies für Badefreunde und Wassersportler. Große Yachthäfen wie z. B. in *Newport Beach* wechseln ab mit langen Sandstränden und felsigen Buchten, in denen man Tauchen und Schnor-

cheln kann. In den trockenen Hügeln der Küstenberge liegen die besten und vornehmsten Wohngegenden des Bezirks *Orange County*.

🚆 Los Angeles, San Diego.

🏨🏨🏨L „Ritz Carlton Laguna Niguel", 33533 Ritz-Carlton Drive.

🏨🏨🏨 „Aliso Creek Inn and Golf Course", 31106 South Coast Highway (mit gutem Restaurant); „Holiday Inn", 25205 Laz Paz Road (Laguna Hills).

🏨🏨 „Hotel Laguna", 425 South Coast Highway (eigener Strand); „Seacliff Motel", 1661 South Coast Highway (eigener Strand); „Best Western Newport Mesa Inn", 2642 Newport Boulevard (Newport Beach); „Laguna Hills Hyatt Lodge", 23932 Paseo de Valencia.

Bei *Capistrano Beach* stößt der Pacific Coast Highway auf den Highway 5, auf dem man einen Abstecher (etwa 5 km je Weg) nach

San Juan Capistrano (22 000 Einw.) machen sollte. Der Ort ist berühmt wegen seiner Schwalben, die alljährlich am 19. März zu ihrer Wanderung als Zugvögel hier ankommen und am 23. Oktober den Ort wieder verlassen. Das Städtchen geht auf die 1776 gegründete Mission zurück, die nach dem Franziskanerpater und Wanderprediger Johannes von Capestrano (dies ist die richtige Namensform;

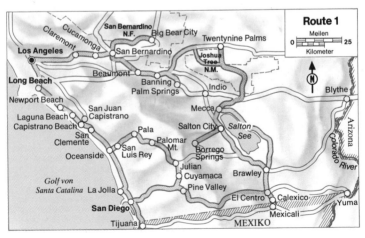

1386–1456; deutscher Abstammung) benannt und trotz Erdbebenschäden (1812) gut erhalten ist (🕐 tägl. 7–17, im Sommer bis 19 Uhr).

An Capistrano Beach grenzt im Südosten *San Clemente* (39 000 Einw.), ein Badeort, in dem zu Anfang der 70er Jahre der damalige Präsident Richard Nixon einen Wohnsitz hatte; das Haus, in dem er sich häufig aufhielt, wurde früher gerne das „Weiße Haus des Westens" genannt.

In *Oceanside* (90 000 Einw.; sehr schöner Badestrand; Jachthafen) muß man sich entscheiden, ob man den direkten Weg (200 km) nach San Diego beibehalten oder einen weit landeinwärts führenden Umweg (360 km bis San Diego) machen will.

Auf dem Umweg kommt man von Oceanside zunächst nach *San Luis Rey,* der 1789 gegründeten Mission San Luis Rey de Francia, die sich zur größten Indianermission entwickelte und heute ein unter der Leitung von Franziskanern stehendes Seminar ist (Mo–Sa 10–16.30, So ab 12 Uhr).

Zu *Pala* (250 Einw.) und den in seiner Umgebung gelegenen Indianerreservationen gehört die Mission San Antonio de Pala, deren Kirche von Indianern ausgemalt wurde (große, auch folkloristisch interessante Fronleichnamsveranstaltungen).

Von dem kleinen Ort *Palomar Mountain* führt eine steile und kurvenreiche Straße hinauf zum gut 1700 m hohen

*Palomar Mountain, auf dem seit 1928 das *Mount Palomar Observatory* steht. 1938 wurde das von einer fast 42 m hohen Kuppel gekrönte Gebäude errichtet, in dem sich das riesige Spiegelteleskop (5,10 m Durchmesser) der Sternwarte befindet (Sammlung ausgezeichneter Aufnahmen von Himmelskörpern; 🕐 tägl. 9–16.30 Uhr). Da im Innern der Kuppel bei Nachttemperaturen gearbeitet wird, ist es dort immer ziemlich kühl.

Über *Santa Ysabel* (in der Nähe die Santa Ysabel Indian Reservation und die 1920 wiederaufgebaute Mission Santa Ysabel) kommt man nach

Julian (1300 Einw.), das 1869 als Goldgräbersiedlung entstand und sich nach dem Ende des Goldbooms zu einem Landwirtschaftszentrum entwickelte. Apfel-, Birnen- und Pfirsichbäume umgeben den fast 1300 m hoch gelegenen Ort, in dem im Mai, August und Oktober landwirtschaftliche Feste gefeiert werden.

Von der Vergangenheit dieses schönen Landstriches erzählen die Schaustücke im *Julian Pioneer Museum* (🕐 Di–So 10–16, im Winter Sa/So 10–16 Uhr). An die Goldgräberstadt erinnern die Fassaden der *Main Street,* ferner die beiden Minen, vor allem die außerhalb gelegene *Eagle Mine* (Führungen).

**SAN DIEGO

San Diego (1,1 Mio. Einw.), das bei der Volkszählung von 1970 unter den Städten Kaliforniens noch an dritter Stelle stand, ist seit 1980 nach Los Angeles die zweitgrößte Stadt des Staates.

Die Bucht, an der die Stadt liegt, wurde von den Spaniern bereits 1542 entdeckt, aber erst 1769 entschlossen sie sich, diese ausgezeichnete natürliche Hafenbucht zum Stützpunkt für ihre Unternehmungen in Alta California (heutiger Staat Kalifornien) zu machen. Auf einem Hügel über der Bucht wurden ein Presidio und die Mission San Diego de Alcalá errichtet (heute Presidio Hill). Am Fuß des Hügels entstand die Ansiedlung San Diego, die heutige Old Town, ab etwa 1824, nachdem frühere Versuche, außerhalb des Presidio eine Ansiedlung anzulegen, an Konflikten mit den hier lebenden Indianern gescheitert waren. Da diese Ansiedlung auch nach dem Übergang Kaliforniens an die USA keine Aufwärtsentwicklung zeigte, legte ein Bodenspekulant 1867 etwa 5 km südöstlich der Old Town die Grundlage für eine neue Stadt (die heutige Downtown). Dieser Stadt war eine unaufhörliche Aufwärtsentwicklung beschieden. Heute ist San Diego mit einer Fläche von rund 810 km^2 die sechstgrößte Stadt der Vereinigten Staaten und Mittelpunkt der SMSA San Diego (2,3 Mio. Einw.).

San Diego besitzt ein mildes, ausgeglichenes Klima. Im Juni sollte man es allerdings meiden. Der Küstennebel streicht Himmel und Meer grau, das Wetter ist sonnenlos, feucht und kühl, die Atmosphäre unfreundlich und düster.

Um die Stadt kennenzulernen, empfiehlt sich die Teilnahme an einer organisierten Stadtrundfahrt oder die Fahrt auf dem 84 km langen *Scenic Drive,* einer mit Seemöwensymbolen gekennzeichneten Rundstrecke (Karten im Convention and Visitors Bureau, s. S. 47).

Man beginnt die Rundfahrt in der

Downtown (Innenstadt) [1], die um den Broadway liegt. Nördlich des Broadway liegt zwischen C Street und A Street eine

43

Art *Civic Center*. Etwas südlich des Broadway liegt die *Horton Plaza*, ein architektonisch sehr ansprechendes Einkaufszentrum, das sich über sechs Straßenzüge erstreckt und in dem sich auch ein *Visitor Center* befindet. Von der Downtown führt der Broadway nach Westen zum

Harbor Drive, der um den Hafen herumführenden Uferstraße. Schräg gegenüber der Einmündung des Broadway in den Harbor Drive liegt der Pier, von dem die Boote zu den ein- und zweistündigen *Hafenrundfahrten ablegen. Etwas weiter nördlich ist die „Star of India", ein 1863 in England gebautes, restauriertes Segel-

schiff, verankert (heute Teil eines Schiffahrtsmuseums; ⊕ tägl. 9–20 Uhr).

Der Harbor Drive wendet sich, der Küste der San Diego Bay folgend, nach Westen und hat nun zur Rechten den

San Diego International Airport [2], genannt *Lindbergh Field,* zur Linken den Zugang zur *Harbor Island* [3], einer künstlichen Insel, die als Erholungsgebiet dient (Hotels, Restaurants, Liegeplätze für Privatboote). Von Harbor Island aus hat man einen hervorragenden Blick auf die Skyline von San Diego, über die *North San Diego Bay,* hinter der die Halbinsel *Coronado* mit der U.S. Naval Air Station North Island liegt, ferner auf die *San Diego–Coronado Bay Bridge,* die im Südosten die Stadt mit der Halbinsel verbindet (südlich dieser Brücke liegt die *South San Diego Bay* mit der U.S. Naval Station und der Amphibious Base).

Es ist empfehlenswert, außerhalb der hier geschilderten Rundfahrt die Halbinsel Coronado zu besuchen, die z. T. militärisches Sperrgebiet ist, deren südöstlicher Teil aber von der Gartenstadt *Coronado* (24 000 Einw.) eingenommen wird. Zur Gartenstadt gehören der hübsche Jachthafen Glorietta Bay, das ganz in Weiß gehaltene, alte „Hotel del Coronado" und der Badestrand Coronado Beach.

Der Harbor Drive führt weiter um die North San Diego Bay herum zur

Shelter Island [4], einer weiteren künstlichen Insel, die zu einem polynesisch anmutenden Erholungszentrum ausgestaltet ist. Im Westteil der Insel befindet sich die von der japanischen Partnerstadt Yokohama geschenkte Freundschaftsglokke.

Über die Talbot Avenue kommt man nun zum Catalina Boulevard, der zusammen mit dem ihn nach Süden verlängernden Cabrillo Memorial Drive zum

Point Loma führt, der Halbinsel, die die North San Diego Bay nach Westen begrenzt. Dort steht das **Cabrillo National Monument* [5], eine Statue des João Rodrigues Cabrilho (Cabrillo ist die spanische, in den USA üblich gewordene Schreibweise des portugiesischen Namens), der 1542 die Bucht von San Diego entdeckte. An dem Wochenende, das dem 27. September am nächsten liegt, wird das *Cabrillo Festival* (u. a. Nachgestaltung der Landung Cabrilhos) gefeiert.

Auf dem höchsten Punkt von Point Loma steht das 1855 erbaute *Point Loma Lighthouse,* ein Leuchtturm, der im Winter der Beobachtung der kalifornischen (oder pazifischen) Grauwale dient. Man hat von dort einen ausgezeichneten Blick über ganz San Diego und im Süden bis nach Mexiko hinein.

Man fährt auf dem Cabrillo Memorial Drive und dem Catalina Boulevard zurück, biegt nach links in die Hill Street ein und erreicht den Sunset Cliffs Boulevard, der an den steilen Klippen der *Ocean Beach* [6] entlangführt, sich dann landeinwärts wendet und im South Mission Bay Drive seine Fortsetzung findet. Er endet am

**Mission Bay Park [7], einem rund 1850 ha großen Freizeit- und Erholungszentrum, das als „Wasserpark" bezeichnet wird, weil es zum weitaus größten Teil aus einer Lagune besteht. Es gibt dort Badestrände, viele Sporteinrichtungen (Segelboote können gemietet werden), Anglerplätze, Hotels und Boatels (Hotels für Bootsfahrer), einen Campingplatz, ein besonderes Visitor Information Center, Restaurants, viele andere Anlagen, darunter vor allem die am Südrand (Sea World Drive) gelegene

> ***Sea World,* einen 44 ha großen Park im Park, der als eines der größten Ozeanarien der Erde gilt (7 große Tiershows und rund 30 weitere Attraktionen; 82 m hoher Sky Tower mit rotierendem Aussichtsraum, von dem man die Mission Bay und ihre Umgebung überblickt; ⊕ tägl. 9 Uhr bis Sonnenuntergang).

Auf Tragflügelbooten kann man Rundfahrten durch den ganzen Mission Bay Park machen. Für den Besuch des Parks sollte man einige Stunden ansetzen. Mitten durch den Park führt vom South Mission Bay Drive aus die Ingraham Street. Von ihr kommt man auf der Lamont Street und dem Soledad Boulevard zum

Mount Soledad (Soledad Park) [8], einem der schönsten Aussichtspunkte der ganzen San Diego County.

Von dort setzt man die Fahrt auf der Torrey Pines Road fort zum

Torrey Pines Park [9], dessen große Natursehenswürdigkeit die Torrey-Kiefern sind. Diese Bäume – sie gelten als Reste der eiszeitlichen Vegetation – kommen nur in diesem Park und auf der Insel Santa Rosa (südwestlich von Santa Barbara)

vor. Am Nordende der Torrey Pines Road stehen die Bauten des *Salk Institute for Biological Studies,* die wegen ihres Baustils vielfach als surrealistische Stadt bezeichnet werden.

Für die Rückfahrt benutzt man den in Küstennähe verlaufenden La Jolla Shores Drive. An ihm liegt die

Scripps Institution [10], ein ozeanographisches Institut, das zur University of California (San Diego Campus) gehört. Sein *T. Wayland Vaughan Aquarium-Museum* kann täglich von 9 bis 17 Uhr besichtigt werden (Hauptfütterungszeit um 13.30 Uhr). Die dem Institut benachbarten Strände zählen zu den schönsten der Stadt (außer von Schwimmern besonders von Wellenreitern gern aufgesucht). Der *Scripps Cove Park* ist ein am Ozean gelegener Landschaftspark mit sehr guten Wassersportmöglichkeiten.

Vom La Jolla Shores Drive geht man auf die Prospect Street über, die durch

La Jolla [11] führt, das bevorzugte Badeviertel von San Diego. Zahlreiche hübsche Badebuchten, der *Kellogg Park* (an der Avenida de la Playa) und *Wind'n'sea Beach* (Surfboarding Center) ermöglichen ein Strandleben, wie man es an südlichen Badestränden erwartet (die geographische Breitenlage von San Diego entspricht ungefähr derjenigen von Casablanca und der tunesischen Insel Djerba). Man nennt die Küste von La Jolla daher oft die „Amerikanische Riviera". Im Haus 700 Prospect Street befindet sich das *La Jolla Museum of Contemporary Art* (ständige und wechselnde Ausstellungen zeitgenössischer Kunst; ⊕ Di–So 10 bis 17, Mi bis 21 Uhr).

Auf dem etwas landeinwärts verlaufenden La Jolla Mesa Drive kommt man zu dem an der Pacific Beach entlangführenden Mission Boulevard. Er zieht sich über die schmale Nehrung, die den Mission Bay Park (siehe links) vom Meer trennt, hin bis zum West Mission Bay Drive und zum

Belmont Park [12]. Der an der Mission Beach und nahe der Mündung des San Diego River in den Pazifik gelegene Park ist ein Freizeitpark mit Picknickplatz, Sport- und Spieleinrichtungen, einem schönen Strand und dem Mission Beach Plunge, einem tiefen und ganzjährig beheizten Schwimmbad.

Auf dem Wege West Mission Bay Drive, Sports Arena Boulevard (International Sports Arena), Rosecrans Street, Taylor

Street und Presidio Drive kommt man in die

* Old Town [13], die Wiege von San Diego und – wie die Amerikaner zu sagen pflegen – von Kalifornien. Durch sie geht man am besten zu Fuß. Eine grüne, auf den Straßen angebrachte Linie führt zu allen historisch wichtigen Bauten und Plätzen der Old Town. Außerdem werden täglich um 14 Uhr, von der Machado y Silvas Adobe ausgehend, Old-Town-Führungen veranstaltet.

An der Stelle des Presidio und der Mission San Diego liegen heute auf dem die Old Town überragenden Presidio Hill der hübsche Presidio Park und das im spanischen Kolonialstil erbaute *Junipero Serra Museum* (⊙ Di–Sa 10–16.30, So 12–16.30 Uhr), dessen Ausstellungsstücke sich auf die Stadtgeschichte beziehen.

Der Mittelpunkt der ersten spanischen Ansiedlung war die *Plaza Vieja*, meist San Diego Plaza genannt, von der die San Diego Avenue und die Mason Street ausgehen. In der Nähe des Platzes steht an der Mason Street die *Casa de Estudillo* (1820; vor wenigen Jahren restauriert und im spanischen Stil des frühen 19. Jhs. eingerichtet), das einstige Wohnhaus eines Presidio-Kommandanten (⊙ tägl. 10–17 Uhr). Das Haus 2482 San Diego Avenue ist das *Whaley House;* es gilt als das älteste Ziegelsteinhaus Südkaliforniens und hat unter anderem als Theater, Gerichtsgebäude und Sonntagsschule gedient. Das restaurierte Haus kann mit seinen Nebengebäuden Mi–So 10–16.30 Uhr besichtigt werden. Durch das Whaley House hindurch kommt man ins benachbarte *Derby-Pendleton House* (4017 Harney Street, Besichtigungszeiten wie Whaley House), ein Haus im Stil antikisierender Bauten der Neu-England-Staaten. Die Bauteile wurden 1851 um Kap Hoorn herum auf einem Segler nach San Diego gebracht.

Vom Presidio Drive aus fährt man auf dem Fort Stockton Drive und auf der First Avenue zum

**Balboa Park [14], der das Stadtzentrum bildet. Diese gut 440 ha große Anlage ist teils wirklicher Park (subtropische Pflanzen, Spazierwege und Teiche), außerdem aber ein Freizeitzentrum mit Spiel- und Sportanlagen sowie Picknickplätzen und nicht zuletzt ein Kulturzentrum.

Zur Park Avenue hin stehen der *Spreckels Pavilion* mit einer der größten im Freien stehenden Orgeln der Erde (So 14 Uhr, Juli und August auch Mo 22 Uhr Konzer-

te) und das *House of Pacific Relations* (wechselnde Ausstellungen von 25 Nationen; ⊙ im Sommer So 12.30–16.30 Uhr).

An der Laurel Street (El Prado) trifft man u. a. auf das *San Diego Museum of Art* (⊙ Di–So 10–16.30 Uhr) und das *Reuben H. Fleet Space Theater and Science Center* (täglich Veranstaltungen; Näheres erfährt man unter Tel. 238-1168; Science Center ⊙ tägl. 9.45–21.30, Fr/Sa bis 22.30 Uhr). Das Science Center ist kein Museum, das seine technischen und wissenschaftlichen Ausstellungsstücke hinter Glas versteckt, es fordert seine Besucher vielmehr auf, sich mit den Gegenständen spielerisch und experimentell zu befassen. Das Space Theater ist das größte Planetarium der USA und zugleich das spektakulärste Multi-Media-Theater der Erde. Eine Ergänzung ist das *Aerospace Historical Center* (Ford Building; ⊙ tägl. 10–16.30 Uhr).

Am Zoo Drive liegt das *Spanish Village Art Center*, malerische Bauten, die für die California–Pacific International Exposition von 1935 errichtet wurden und heute zum großen Teil Ateliers von Künstlern und Kunstgewerblern sind. Die Ateliers sind täglich von 11 bis 16 Uhr geöffnet (Verkauf). Das 1935 erbaute *Old Globe Theatre* – es erhebt sich neben dem *Cassius Carter Centre Stage* und der Freilichtbühne *Festival Stage* zum *Simon Edison Centre for the Performing Arts* – ist eine getreue Nachbildung jenes Globe Theatre, das bis 1644 in London stand und in dem William Shakespeare seine großen Erfolge feierte. Neben den klassischen Werken des englischen Dichters werden auch zeitgenössische Stücke aufgeführt (Information unter Tel. 239-2255).

Nördlich des Old Globe Theatre liegt der **San Diego Zoological Garden*, einer der schönsten Zoos und nach dem Tierbestand von mehr als 800 Arten der größte Zoo der Erde. In dem wie ein subtropischer Garten wirkenden Tierpark leben ca. 3400 Tiere in einer Umgebung, die ihrem natürlichen Lebensraum so weit wie nur irgend möglich nachgestaltet wurde.

In dem rund 50 ha großen Tierpark werden Autobusrundfahrten (mit Führung) veranstaltet. Außerdem kann man mit einer Gondelbahn, der Skyfari, eine 5-Minuten-Fahrt über den Zoo hinweg machen. Der Zoo ist von Mitte Juni bis Labor Day täglich von 9–17, sonst täglich von 9–16 Uhr geöffnet.

Mission San Diego de Alcalá

Man beschließt die 84-km-Rundfahrt, indem man vom Balboa Park auf dem Park Boulevard zurück in die

Downtown [1] fährt.

*Mission San Diego de Alcalá [15]. Weit abseits des geschilderten Scenic Drive liegt, von der Downtown aus am besten auf den Highways 94 und 15 zu erreichen, im *Mission Valley* (Tal des San Diego River) die Mission San Diego de Alcalá (10818 San Diego Mission Road). Die 1769 auf dem Presidio Hill gegründete Missionsstation wurde 1774 vorläufig und 1775 endgültig hierher verlegt. In den restaurierten Gebäuden (die Kirche dient heute noch dem Gottesdienst) befindet sich ein Museum mit Zeugnissen aus der frühen Missionszeit. Führungen durch die Mission finden täglich von 9–17 Uhr statt. Am Wochenende nach dem 16. Juli wird das Festival of Bells zur Erinnerung an die Missionsgründung (16. Juli 1769) gefeiert.

PRAKTISCHE HINWEISE

❶ Convention and Visitors Bureau, 1200 Third Avenue, Suite 824 (Tel. 232-3101; nur schriftlich oder telefonisch); Visitor Center, 11 Horton Plaza, 1st Ave./F St. (Tel. 236-1212).

✈ Der International Airport Lindbergh Field liegt in der Nähe des Stadtzentrums (s. S. 44); Taxi; Stadtbus No. 2 in die Innenstadt.

🚂 Santa Fe Depot, 1050 Kettner Blvd. (Tel. 800/872-7245); gute Verbindungen in alle Richtungen.

🚌 Greyhound Terminal, 120 W. Broadway (Tel. 239-9171). Verbindun-

gen u. a. nach El Centro, Los Angeles, Sacramento und San Francisco; häufige Fahrten über die mexikanische Grenze in die Schwesterstadt Tijuana. – Die innerstädtischen Autobusverbindungen sind gut. Informationen bei der *San Diego Transit Corporation*, 100 16th Street (Tel. 233-3004).

🏨🏨🏨L „Sheraton-Harbor Island Hotel", 1380 Harbor Island Drive; „San Diego Hilton", 1775 East Mission Bay Drive, Mission Bay; „US Grant Hotel", 326 Broadway; „Hyatt Islandia", 1441 Quivira Road, Mission Bay; „Hotel del Coronado", 1500 Orange Avenue (auf der Coronado-Halbinsel).

🏨🏨🏨 „Summer House Inn", 7955 La Jolla Shores Drive, La Jolla.

🏨🏨 „Shelter Island Marina Inn", 2051 Shelter Island Drive; „Holiday Inn", 1355 N. Harbor Drive; „Fabulous Inn", 2485 Hotel Circle Place; „Handlery Stardust Hotel and Country Club", 950 Hotel Circle; „Town and Country", 500 Hotel Circle; „Best Western Posada Inn", 5005 N. Harbor Drive; „La Jolla Beach Travel-Lodge", 412 Playa del Norte, La Jolla; „Royal Inn", 7830 Fay Avenue, La Jolla.

🏨 „Dana Inn and Marina", 1710 West Mission Bay Drive; „Circle 7/11 Motel", 2201 Hotel Circle S.; „Budget Motel", 1835 Columbia Street; „Royal Lodge Downtown", 833 Ash Street; „Vagabond", 625 Hotel Circle; „La Jolla Cove", 1155 Coast Blvd., La Jolla; „La Jolla Palms", 6705 La Jolla Blvd., La Jolla.

🏠 Elliott International Hostel, 3790 Udall Street, San Diego CA 92107, Tel. (619) 223-4778.

Rest.: „Anthony's Fish Grotto" (Fischrestaurant), Harbor Drive / Ash Street; „Shelter Island's Bali Hai Restaurant", 2230 Shelter Island Drive; „Mister A's", 2550 Fifth Avenue; „Lubach's", 2101 North Harbor Drive; „Tom Ham's Lighthouse", 2150 Island Drive.

*

Bevor man die Rundfahrt durch Südkalifornien fortsetzt, sollte man das beliebteste Ausflugsziel in der Umgebung von San Diego aufsuchen, das jenseits der nahen mexikanischen Grenze, auf der Halbinsel Baja California gelegene

*Tijuana (als Municipio ohne Randbezirke 850 000 Einw.). Für einen Ausflug in die Grenzstadt benötigen Staatsangehörige der Bundesrepublik Deutschland, der Schweiz und Österreichs in der Regel nur einen gültigen Reisepaß (mit der bei der

Einreise in die USA erhaltenen Einreise-bestätigung). Man kann mit der Straßen-bahn (San Diego Trolley von der Down-town, Kettner Boulevard / C Street, zur Grenze in San Ysidro) oder mit Bussen (Greyhound, Tel. 239-9171; Mexicoach, Tel. 232-5049) zur Grenze bis Tijuana fahren. Mit einem in den USA gemieteten Wagen darf man ohne ausdrückliche Er-laubnis nicht nach Mexiko fahren. Von der Grenze gelangt man aber bequem mit dem Taxi oder zu Fuß ins Zentrum Tijua-nas.

Tijuana, 26 km südlich von San Diego, zählt pro Jahr etwa 20 Mio. Besucher. Es ist eine im wesentlichen mexikanische Stadt, weist aber manche nordamerikani-sche Einflüsse auf und lebt vom touristi-schen Rummel (überreiches Angebot an Reisemitbringseln aller Art; bis zum Äu-ßersten kommerziell nutzbar gemachte Folklore; Nachtleben in allen Schattie-rungen und nicht immer gefahrlos).

Die großen Attraktionen sind: die *Aveni-da de la Revolución,* die Hauptgeschäfts-straße der Stadt (außer Geschäften auch Restaurants, Nachtklubs und Bars); der *Frontón Palacio* (an der Avenida de la Revolución und der Calle Septima), in dem täglich außer donnerstags um 20 Uhr das baskische *Jai Alai,* das schnellste Ball-spiel der Erde, gespielt wird (Wetten sind üblich); *Stierkämpfe* nach spanischer Art (sie finden von Mai bis Oktober sonntags um 16 Uhr in der Arena El Toreo de Ti-juana am Boulevard Agua Caliente und in der Arena Plaza Monumental an der Calle Segunda im westlichen Ortsteil Villa Playas statt); *Windhundrennen* (sie finden Mi–Mo um 19.45 Uhr, Mo, Mi und Fr auch um 14.30 Uhr in der Rennbahn Agua Caliente statt; mit kurzfristigen Än-derungen aller Veranstaltungszeiten muß gerechnet werden).

❶ Plaza Patria, Tel. (706) 681-9492.

🏨 „El Conquistador", 1777 Agua Ca-liente Boulevard S.; „Fiesta Americana", 4500 Agua Caliente Boulevard.

🏨 „Palacio Azteca", Av. 16 de Septiem-bre No. 213.

*

Man setzt die Rundfahrt durch Südkali-fornien von San Diego aus auf der Inter-state 8 fort. Über *Pine Valley* (300 Einw.) erreicht man östlich der *Coyote Moun-tains* die große, z. T. unter dem Meereshö-he liegende Absenkung (Depression), die von Südosten nach Nordwesten aus dem *Imperial Valley,* dem *Salton Sea* und dem *Coachella Valley* besteht.

Man behält die Interstate 8 bei bis zur Abzweigung (rechts) des Highway 111, der zur mexikanischen Grenze führt (Ab-stecher). Dort liegen einander gegenüber das kalifornische *Calexico* (17 000 Einw.; knapp 2 m über dem Meeresspiegel) und das mexikanische *Mexicali* (als Munici-pio 400 000 Einw.), voneinander nur durch einen Zaun getrennt. Das am Süd-ende des Imperial Valley gelegene Calexi-co ist aus einem Zeltlager der Imperial Land Company hervorgegangen. Es feiert zusammen mit dem touristisch in-teressanteren Mexicali eines (dar-unter die Wahlen von Schönheitskönigin-nen), aber auch bei der Lösung wirt-schaftlicher Probleme arbeiten die beiden Städte zusammen. Mexicali ist in etwa mit Tijuana zu vergleichen. Der touristische Rummel hat sich jedoch bis jetzt weit we-niger breitgemacht; Mexicali wirkt daher in vielem echter und ursprünglicher.

*

El Centro (27 000 Einw.; rund 12 m unter dem Meeresspiegel), auf den Straßen 8 und 86 zu erreichen, ist der Hauptort des Imperial Valley, das durch Bewässerung (u. a. durch den Hoover Dam) aus einer Wüste in sehr ergiebiges Agrarland umge-wandelt worden ist. An den Bergen im Osten der Stadt erinnern Korallenriffe daran, daß das Imperial Valley einmal ein Teil des Golfs von Kalifornien war.

🚆 Los Angeles, San Diego.

🏨 „Vacation Inn TraveLodge", 2000 Cotton Wood Circle.

⌂ „Executive Inn of El Centro", 725 State Street.

Man fährt durch das Imperial Valley in nördlicher Richtung weiter nach *Brawley* (15 000 Einw.; rund 35 m unter dem Mee-resspiegel), wo im Spätherbst ein Vieh-markt mit Rodeo stattfindet, und muß sich nun entscheiden, ob man auf der Straße 86 (Westen) oder 111 (Osten) wei-terfahren will.

Salton Sea. Die Depression, deren tief-sten Teil die See heute einnimmt, war ur-sprünglich ein Teil des mexikanischen Golfs von Kalifornien, dessen Küste heu-te rund 200 km vom Südufer des Salton Sea entfernt ist. In die Depression ist der Colorado River, der in den genannten Golf mündet, mehrmals eingebrochen. Der Einbruch von 1905 hatte die Entste-hung des Salton Sea (etwa 55 km lang, im Durchschnitt 16 km breit und 8 m tief, Wasserspiegel rund 72 m unter dem des Meeres) zur Folge.

Joshua Tree

Dieser See ist zu einem viel besuchten Wassersportzentrum geworden (Segel- und besonders Motorbootsport, Wasser-ski). Am Ostufer (Straße 111) bietet die Salton Sea State Recreation Area (über 6600 ha) Picknick- und Campingplätze, Badestrände und Angelplätze.

Nimmt man die Straße 86, so hat man die Möglichkeit, auf der von *Salton City* ausgehenden Straße S 22 einen Abstecher (ca. 50 km je Weg) in den *Anza-Borrego Desert State Park* zu machen (202 000 ha). In dem gebirgigen Wüstengebiet hat man etwa 600 Blumenarten gezählt. Die im Januar einsetzende Blütenperiode erreicht im März/April ihren Höhepunkt. Im Desert State Park liegt der oasenartige Erholungsort *Borrego Springs* (4000 Einw.; Visitor Center).

*

Von Salton City gelangt man in der Folge auf den Straßen 86 und 195 nach *Mecca* und zur Interstate 10 sowie zum Südeingang des

*Joshua Tree National Monument, einem bis über 1600 m ansteigenden Wüstengebirge von über 2250 km² Größe. Das Besondere an diesem Park ist, daß es in ihm zwei grundsätzlich unterschiedliche Wüstentypen gibt. In den niedriger gelegenen Teilen liegt die *Sonora-Wüste,* zu der auch das Saguaro und das Organ Pipe National Monument gehören, in den höher gelegenen Teilen befindet sich die *Mohave-Wüste,* die u. a. große Joshua-Tree-Baumbestände hat, denen das Gebiet seinen Namen verdankt.

Weitere Sehenswürdigkeiten sind die Felsgebilde im *Hidden Valley* (gute Wanderwege), die Palmenoasen im *Lost Palms Canyon,* im *Fortynine Palms Canyon* und in der *Twentynine Palms Oasis* (Visitor Center). Vom 1570 m hohen *Keys View* aus hat man einen prächtigen Blick vor allem auf den Salton Sea und bei klarem Wetter bis Mexiko. Unterkünfte gibt es in diesem Gebiet bis auf einige Campingplätze nicht (Wasser und Brennmaterial muß man mitbringen). Auf der einzigen Straße des Parks kann man vom Visitor Center aus eine Fahrt zu den Sehenswürdigkeiten unternehmen. Kurz vor Joshua Tree verläßt man den Park und wendet sich auf der Straße 62 Richtung Westen.

An der Kreuzung der I-10 mit dem Highway 111 erblickt man eine moderne Windkraftanlage zur Stromerzeugung.

**Palm Springs (33 000 Einw., 137 m hoch). Die Wüstenoase der Reichen liegt am Fuß der bis rund 3300 m hohen *San Jacinto Mountains.* Sie ist einer der großen Erholungsorte Kaliforniens (Hochsaison Mitte Dezember bis März; für diese Zeit frühe Zimmerreservierung unbedingt erforderlich). Palm Springs liegt in dem schmalen Coachella-Tal und kann sich nur nach Südosten in die Gemeinden *Cathedral City, Rancho Mirage* und *Palm Desert* ausdehnen. In den letzten Jahren sind diese Orte stark gewachsen und zu eigenständigen Ferienzentren geworden.

Zu den touristischen Einrichtungen von Palm Springs und seinen Nachbargemeinden gehören zahlreiche öffentliche Tennisplätze und Golfplätze; die Stadt wird daher die „Winter Golf Capital of the World" genannt.

Die Sehenswürdigkeiten von Palm Springs sind: die am North Palm Canyon Drive konzentrierte *Einkaufszone* mit großem Angebot; das *Palm Springs Desert Museum* (101 Museum Dr.; naturgeschichtliche Sammlungen; ◷ Ende Sept. bis Juni Di–Fr 10–16, Sa und So 10–17 Uhr); der *Moorten's Botanical Garden* (1701 S. Palm Canyon Dr.; ◷ tägl. 9–17 Uhr); der rund 10 km südlich in der Verlängerung des South Palm Canyon gelegene *Palm Canyon* mit seinen über 3000 Palmen (◷ Okt.–Mai tägl. 8.30–16.30 Uhr).

Ein großartiges Erlebnis ist die Fahrt mit der **Aerial Tramway* hinauf zum Mount San Jacinto (auf 4 km ein Höhenunterschied von 2596 m; täglich 10–21 Uhr, Sa und So ab 8 Uhr; letzte Auffahrt 19.30 Uhr; die ersten zwei Augustwochen geschlossen).

Eine der größten Veranstaltungen ist der *Desert Circus*, der „Wüstenzirkus", der in der zweiten Märzhälfte abgehalten wird und 10 Tage dauert. Es finden Umzüge statt, in den Straßen wird getanzt, die üblichen Rummelplatzbuden werden aufgestellt und der sog. „kangaroo court" tagt, ein lustiger Scheingerichtshof.

❶ Convention & Visitors Bureau, Municipal Airport Building; Tel. 327-8411.

✈ Municipal Airport, 3 km östlich; Verbindungen nach Las Vegas, Los Angeles, San Diego, San Francisco.

🚃 311 N. Indian Ave., Tel. 325-2053.

🏨L „Palm Springs Spa", 100 North Indian Avenue.

🏨 „International Hotel Resort", 1800 East Palm Canyon Drive.

🏨 „Vagabond", 1699 South Palm Canyon Drive; „Grosvenor Inn", 1177 South Palm Canyon Drive; „Best Western Royal Sun Hotel", 1700 S. Palm Canyon Drive.

Nordwestlich von Palm Springs mündet die Straße 111 in die Interstate 10 ein, die über *Banning* (14 000 Einw.; im Oktober werden die Stagecoach Days, die „Postkutschentage", ausgelassen gefeiert), *Beaumont* (7500 Einw.; in 785 m Höhe am Fuß des 3505 m hohen Mount San Gorgonio gelegen; Mitte Juni Cherry Festival) und *Redlands* (50 000 Einw.) in die Hauptstadt der großen San Bernardino County führt.

San Bernardino (148 000 Einw.; 320 m hoch) geht auf eine 1810 gegründete Außenstelle (Asistencia) der Mission San Gabriel und auf die Ranch San Bernardino zurück, die 1851 von Mormonen als Siedlungsgelände erworben wurde. Die Mormonen zogen wenige Jahre später wieder ab, die von ihnen geschaffene Siedlung wurde aber von anderen Siedlern übernommen und ausgebaut. Zu Orangenplantagen und Weingärten, die San Bernardino schon früh zu einem wichtigen Landwirtschaftszentrum machten (Mitte März findet alljährlich die National Orange Show statt), ist in neuester Zeit eine bedeutende moderne Industrie gekommen.

Nordöstlich der Stadt liegt im *San Bernardino National Forest* ein großes Ski- und Erholungsgebiet. Dorthin und durch das Gebiet hindurch führt die Straße 18, die sich in einer Höhe von 1500–2200 m als Rim of the World Highway durch die Gebirgslandschaft windet. An oder nahe der Straße liegen Beobachtungsstationen

des Forstdienstes, die ausgezeichnete Aussichtspunkte sind (z. B. der leicht zu erreichende Strawberry Peak), der *Lake Arrowhead* (Wassersportzentrum), die *Snow Valley Ski Area* im Südwesten (mit dem Erholungs- und Wintersportplatz *Arrowhead Village*), sodann *Santa's Village*, eine Anlage mit Märchenwald (🕐 im Sommer und von Mitte Nov. bis Ende Dez. tägl. 10–17 Uhr, sonst nur zum Wochenende und an Feiertagen, schließlich der *Big Bear Lake* (Wassersportzentrum) und das benachbarte Wintersportgebiet *Snow Summit* (manche Lifte der Wintersportgebiete sind auch von Juli bis September 10–16 Uhr in Betrieb und führen zu schönen Aussichtspunkten). Vom Big Bear Lake aus kann man auf der Straße 18 oder 38 nach San Bernardino zurückfahren (Gesamtstrecke 110 km).

🚌 Los Angeles, Barstow, Las Vegas.

🚃 Barstow, Las Vegas, Los Angeles.

🏨L „Forest Shores", Big Bear Lake.

🏨 „San Bernardino Hilton", 285 E. Hospitality Lane (San Bernardino)

🏨 „Holiday Inn", 666 Fairway Drive (San Bernardino); „ Best Western Sands" 606 N. H Street (San Bernardino); „Tree Top Lodge" (Lake Arrowhead); „Village Cottages", Arrowhead Village; „Marina Riviera", Big Bear Lake.

Für die Weiterfahrt nach Los Angeles nimmt man die Straße 66 (Foothill Boulevard). An ihr liegt in *Cucamonga* (6000 Einw.) die Weinkellerei *Thomas Vineyards* (8916 Foothill Boulevard), die 1839 gegründet wurde und als die älteste Weinkellerei Kaliforniens gilt (Besichtigung täglich von 8–18 Uhr; Probierstube). Zu Cucamonga und zum südwestlich benachbarten *Ontario* (123 000 Einw.) gehört der Cucamonga-Guasti Regional Park (Freizeitpark; 🕐 im Sommer tägl. 7.30–19, sonst bis 17 Uhr).

Die ebenfalls am Foothill Boulevard gelegene Stadt *Claremont* (33 000 Einw.) rühmt sich des 🏨 „Griswold's Inn" (555 W. Foothill; ausgezeichnetes Restaurant). Im benachbarten *Pomona* (120 000 Einw.) kann man von Januar bis Mai und Oktober/November am 1. Sonntag des Monats um 14 Uhr die Kellogg Arabian Horse Show (California State Polytechnic University) sehen.

In Claremont geht man auf die Interstate 10 über, die ins Zentrum von Los Angeles führt. Die Rundfahrt ist ohne Umwege und Abstecher rund 750 km lang. Unterbrechen sollte man besonders in San Diego und Palm Springs.

Route 2: **Los Angeles – Mojave Desert – **Las Vegas – (*Hoover Dam –) **Death Valley N. M.

Die Rundfahrt (1220 km) führt von Los Angeles auf der Interstate 10 über San Bernardino (s. S. 50), 95 km, von dort auf der Straße 38 nach Big Bear City und auf der Straße 18 in die

Mojave Desert, die Mohavewüste, die sich von den Küstenbergen im Westen bis in den Staat Nevada im Osten erstreckt und etwa 38 000 km² groß ist. Sie bildet ein abflußloses, heißes Gebiet (eine der heißesten Gegenden der USA), das im Durchschnitt über 600 m hoch liegt, dessen Berge und Bergzüge aber Höhen zwischen 1500 und 3300 m erreichen.

Die beste Zeit für eine Fahrt durch die Mohavewüste sind die Monate Februar bis Mai, infolge der winterlichen Regenfälle blühen in dieser Zeit die Wüstenpflanzen (Joshua Tree Ende März), da die Sommerhitze noch nicht begonnen hat. Die hier vorgeschlagenen Straßen sind mit jedem Wagen zu befahren (für nicht asphaltierte Nebenstraßen empfiehlt sich Allradantrieb).

Apple Valley (7000 Einw.), das man auf der Straße 18 erreicht, ist ein Erholungs-ort, der dank ergiebiger Grundwasservorkommen angelegt werden konnte.

Victorville (20 000 Einw.), am Treffpunkt von Straße 18 und Interstate 15 gelegen, hat einigen hundert Cowboy-Filmen als Kulisse gedient. Das *Roy Rogers–Dale Evans Museum* zeigt Erinnerungsstücke der Hollywood-Cowboys, die hier gedreht haben (☉ tägl. 9–17 Uhr). Mitte August findet im Ort die *San Bernardino County Fair* mit Rodeo, Pferderennen und anderen Veranstaltungen statt.

🏠 „Best Western Green Tree Inn", 14173 Green Tree Boulevard.

Barstow (20 000 Einw.), 289 km, ist der Verkehrsknotenpunkt inmitten der Mohavewüste. Nordöstlich der Stadt erheben sich die *Calico Mountains,* ein Teil der Basin Range, die sich von Norden nach Süden durch die Wüste zieht. Das Gelb, Grün und Rot der Felsen machen eine Fahrt durch die Calico Mountains, die diesen Farben ihren Namen verdanken (calico bedeutet in der amerikanischen Umgangssprache „bunt"), zu einem Naturerlebnis.

🚌 Los Angeles, Las Vegas.

🚌 Los Angeles, Las Vegas, Needles.

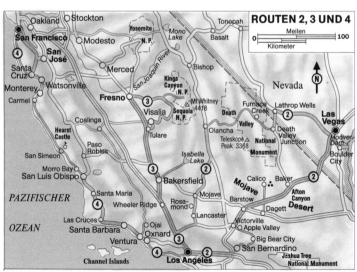

ROUTEN 2, 3 UND 4

🏨 „Desert Villa Motel".

🛏 „Motel 6"; „Town and Country Motel".

Etwa 18 km östlich liegt inmitten sonnendurchglühter, erzreicher Hügel die für den Tourismus renovierte Geisterstadt *Calico* mit Museum, altem Bergwerk und Theater (🕐 tägl. 9–17 Uhr).

Rund 60 km nordöstlich von Barstow kommt man an eine beiderseits der Interstate 15 gelegene Raststelle, von der nach Süden ein Fahrweg ausgeht. Er endet nach etwa 8 km im *Afton Canyon,* der vom Mojave River durchflossen wird und mit seinen Weiden und Tamarisken die Wüste vergessen läßt.

Über *Baker* (500 Einw.), 391 km, wo der in den Norden der Mohavewüste und weiter ins Death Valley (s. S. 54) führende Highway 127 von der I-15 abzweigt, fährt man weiter Richtung Osten, durch einsame Wüstenlandschaften mit ausgetrockneten Salzseen über die Staatsgrenze von Nevada nach

**LAS VEGAS, 539 km.

Ein fahlbrauner Kranz kahler Wüstenberge umgibt die Stadt des Glücksspiels im südlichen Nevada. Regen ist hier fast unbekannt, und die Sommertemperaturen erreichen im Juli regelmäßig 40°C – ein unwirtlicher, für die ersten Pioniere oft lebensbedrohender Landstrich. So waren schon besondere Umstände nötig, um in der öden Wüstenei eine Stadt mit heute 232 000 (Großraum 660 000) Einwohnern entstehen zu lassen.

Mormonen gründeten 1855 im Las Vegas Valley („Weidental") den ersten Handelsposten an der Pionierroute nach Kalifornien. Doch erst beim Bau der Eisenbahn entstand 1905 ein kleines Zeltdorf und daraus 1911 das Städtchen Las Vegas. Der Aufschwung kam, als 1931 das Glücksspiel in Nevada legalisiert und zeitgleich mit dem Bau des Hoover Dam begonnen wurde. Der Damm lieferte zunächst die ersten Kunden, Bauarbeiter, und dann, wenig später, die Elektrizität für Reklamen und Klimaanlagen. Als die Heirats- und Scheidungsgesetze Nevadas gelockert wurden, zog dies eine weitere Klientel an. Nach dem Zweiten Weltkrieg entdeckte die Mafia, daß in „Vegas" schnelles Geld zu verdienen war. Riesige Casino-Hotels schossen über Nacht aus dem Sandboden und läuteten die Neuzeit von Las Vegas als Metropole des Glücksspiels ein. Heute darf zwar – offiziell – die Mafia nicht mehr mitspielen, alles läuft

streng nach staatlichen Regeln ab, aber der Boom der Stadt hält ungebrochen an. In wenigen Jahren soll sogar ein superschneller Zug durch die Mojave-Wüste flitzen, um die Opfer der einarmigen Banditen aus Los Angeles heranzuschaffen.

Die Casinos unternehmen alles, um den Besuchern, den goldenen Kühen Nevadas, den Aufenthalt zu versüßen: unter der Woche in der Nebensaison (Sommer, Herbst) enorm preisgünstige Luxushotelbetten, fabelhafte Shows mit internationalen Stars, billiges Essen und – falls gewünscht – ein schneller Tausch der Eheringe. Rund 70 000 Heiratsversprechen werden alljährlich in Las Vegas eingelöst. Die Zahl der Scheidungen hält sich in Grenzen: kaum 9000 sind es im Jahr.

Besonders eindrucksvoll ist die Einfahrt in die Stadt bei Nacht: Millionen Neonröhren und blinkende Glühbirnen lassen den „Strip", die Hauptschlagader von Las Vegas, taghell erstrahlen – eine Insel des Lichts inmitten der nachtschwarzen Wüste. Auf der Straße herrscht auch um Mitternacht noch Gedränge, oft bei schweißtreibenden 30°C. In den Casinos, in denen die einarmigen Banditen unablässig und lautstark Dollars spucken, ist es dagegen frostig kühl: Eine Jacke oder ein Pullover schaden nicht; der Smoking ist aber überflüssig, denn die Kleidung der Spieler tendiert zum Lässigen.

Die beliebtesten Spiele in den Casinos sind Blackjack (17 und 4), Roulette, das Würfelspiel „Craps" und „Keno", eine Art Lotto, bei dem die Ausspielung sofort erfolgt und man nicht bis zum nächsten Samstag warten muß. Neben und zwischen den grünen Kartentischen drehen sich die Räder der einarmigen Banditen.

Es gibt kaum einzelne Sehenswürdigkeiten in Las Vegas. Das große Erlebnis in dieser verrückten Stadt, die 24 Stunden täglich und 365 Tage im Jahr geöffnet ist, bringt die Atmosphäre, der nächtliche Bummel am „Strip" und in den Casinos, der Nervenkitzel des Glücksspiels und der Besuch in den großen Shows. Karten werden in den Casinos verkauft: Um 20 Uhr gibt es Vorstellungen mit Abendessen, um 23 Uhr die preiswerteren Cocktailshows.

Die größte Dichte von Casinos und Neonreklamen findet man in der

Downtown [1] an der taghell erleuchteten Fremont Street zwischen Main Street und „Strip". Hier winkt der aus vielen Hollywoodfilmen bekannte Neon-Cowboy. In den letzten Jahren wurden die während der 70er Jahre recht heruntergekommenen Spielhöllen renoviert und die Downtown geriet wieder in den Mittelpunkt des Nachtlebens. Etwas weiter südlich, am

Las Vegas Boulevard [2], dem „Strip", reihen sich kitschige Hochzeitskapellen, Geschäfte und Hotel-Casinos: das „Stardust", das „Fremont", das „Excalibur", das „Hilton Flamingo", das spektakuläre „Sheraton Mirage" und das größte und nobelste, das „Caesar's Palace". Im Hintergebäude des mit chinesischem Dekor ausgestatteten „Imperial Palace" wartet ein Leckerbissen für Autofreunde: Über 200 historische Fahrzeuge sind in der *Imperial Palace Auto Collection* versammelt.

Wer mit Kindern reist, wird das *„Circus Circus Casino"* schätzen lernen, denn das Betreten aller Casinos ist erst ab 21 Jahren gestattet. Hier allerdings werden die Kinder im Obergeschoß den ganzen Tag über von Artisten kostenlos unterhalten, während ihre Eltern eine Etage tiefer das Urlaubsgeld durchbringen.

❶ Las Vegas Convention & Visitors Bureau, 3150 S. Paradise Road, Tel. (702) 733-2323 (im Convention Center).

✈ McCarran Airport, rund 8 km südlich; Limousinen-Service.

🚃 Amtrak Station, Union Plaza Hotel, 1 Main St., Tel. (800) 872-7245.

🚌 Greyhound/Trailways Terminal, 200 S. Main St., Tel. (702) 384-9561.

Stadtverkehr: Öffentliche Busse fahren am „Strip" entlang; preiswerte Taxis.

🏨, 🏨, 🏠 Zahlreiche Hotels und Motels aller Kategorien entlang des Las Vegas

Blvd. und in der Downtown; preiswerte Motels an der Fremont Street. Sonntags bis donnerstags in der Nebensaison (Sommer und Herbst) meist sehr günstige Angebote in den größeren Hotels.

⚠ International AYH-Hostel, 1236 Las Vegas Blvd. S., Tel. (702) 382-8119.

Ausflüge

*Hoover Dam und **Lake Mead.** Wenn Las Vegas tagsüber in flimmernder Hitze schwelt, bringt – v. a. nach durchspielter Nacht – ein Abstecher ans Wasser die nötige Abkühlung. 40 km südöstlich von Las Vegas (US 93) liegt bei *Boulder City* der riesige Betonwall des oft als modernes Weltwunder gepriesenen

*Hoover Dam [3] im engen, rund 300 m tiefen *Black Canyon* des Colorado River. Über Jahrhunderte hatte der Fluß jedes Frühjahr tiefer liegende Landstriche in Südkalifornien überschwemmt; im Herbst dagegen herrschte regelmäßig Dürre und der Fluß führte kaum Wasser. So beschloß die US-Regierung 1922, durch einen Damm das Wasser zu regulieren und damit eine geregelte Versorgung zu erhalten. Die 221,4 m hohe und an der Basis 201,2 m dicke Staumauer wurde 1931–1935 erbaut. Im folgenden Jahr ging der erste von mittlerweile 17 Generatoren ans Netz, die heute große Teile Nevadas, Arizonas und Südkaliforniens mit 1,4 Mio. Kilowatt Strom versorgen.

Im *Ausstellungsgebäude* an der Westseite des Dammes sind ein Modell des Flußtales und Bilder aus der Bauzeit zu sehen.

LAS VEGAS UND UMGEBUNG

Wer sich für die technische Seite der Stromgewinnung interessiert, kann an einer 35minütigen Führung durch die Generatorenhallen am Fuß des Dammes teilnehmen. – Der 180 km lange

Lake Mead, in dem der Hoover Dam 35 Mrd. m³ Coloradowasser aufstaut, ist der größte künstliche See der USA. Wie ein schimmerndes tiefblaues Band liegt die Wasserfläche in der Wüstenlandschaft. Die gesamte Region um den See wurde zum Naturschutzgebiet, der *Lake Mead National Recreation Area,* erklärt. Im *Alan Bible Visitor Center* [4] wird die Tier- und Pflanzenwelt dieser Region vorgestellt. Am Ufer des Sees findet man einen schönen Badestrand, den *Boulder Beach* [5] (Lakeshore Rd.).

Von Las Vegas aus kann man weitere Fahrten nach Arizona oder Utah unternehmen. Detaillierte Routenvorschläge sind im Polyglott-Reiseführer „USA Der Südwesten" zu finden.

Im Death Valley

*

Von Las Vegas fährt man auf der US 95 Richtung Norden. Die völlig menschenleeren Wüstengebiete nördlich des Highway sind seit Jahrzehnten militärisches Sperrgebiet und Schauplatz der unterirdischen Atomtests der USA. Bei *Lathrop Wells,* 674 km, zweigt man auf der SR 373 nach Süden ab, überquert die kalifornische Grenze und fährt schließlich über *Death Valley Junction,* 711 km, weiter ins

**Death Valley National Monument. Bei diesem handelt es sich um ein rund 7800 km² großes Gebiet, dessen Kern von dem etwa 230 km langen und zwischen 10 und 30 km breiten *Death Valley,* dem Tal des Todes, gebildet wird. Fast 1500 km² des Tales liegen in der Höhe des Meeresspiegels oder unter diesem. Nördlich des *Badwater Basin* (von Death Valley/Furnace Creek auf der Straße nach Süden) liegt der Talboden 86 m unter dem Meeresspiegel, und dies ist der tiefste Punkt der westlichen Hemisphäre.

Über den verkrusteten Salzseen erhebt sich der schneebedeckte *Telescope Peak,* mit 3368 m die höchste Erhebung des National Monument. Die Niederschläge machen im Tal pro Jahr kaum 50 mm aus. Die Temperaturen sind sehr hoch (die bisher gemessene Höchsttemperatur war 56,6 °C im Schatten), in den Monaten Oktober bis Mai aber erträglich bis angenehm. Im Tal und in den höheren Lagen gibt es über 600 Arten blühender Pflanzen, von denen etwa 20 Arten nur dort

vorkommen, darunter der *Death Valley Sage,* eine Art des Salbeis.

Ist man bei Death Valley Junction auf der Straße 190 in das National Monument gelangt, so hat man zur Linken einen Fahrweg zum *Dante's View,* einem 1668 m hoch gelegenen Aussichtspunkt, von dem man einen besonders guten Blick auf Badwater Basin (s. links) und den Telescope Peak hat. Auf der Straße 190 kommt man nach *Death Valley (Furnace Creek),* 758 km. Dort erhält man im Visitor Center und im Monument Headquarter (☉ tägl. 8–17 Uhr) wertvolle Informationen; auch Führungen können dort vereinbart werden, von November bis April unter Tel. 786-2331. Es existieren Campingplätze der ⌂ „Furnace Creek Ranch". Vom nahen *Zabriskie Point* genießt man eine schöne Aussicht. Nach Passieren der Ruinen eines Borax-Bergwerks kommt man, 19 km nördlich von Furnace Creek, an die Straße, die einen Abstecher zu dem im äußersten Norden (65 km) gelegenen *Scott's Castle* ermöglicht (Führungen durch das Zwei-Millionen-Dollar-Wüsten-Landhaus stündlich von 9–17 Uhr; Imbißstube).

Man verläßt das Death Valley auf der Straße 190 und kommt in *Olancha* (260 Einw.), 922 km, auf den Highway 395/14. Über *Mojave* erreicht man zunächst *Rosamond* (östlich liegt die *Edwards Air Force Base,* der wichtigste Landeplatz der Shuttle-Raumfahrzeuge der NASA), danach *Lancaster* (55 000 Einw., Antelope Valley Fair and Alfalfa Festival am Labor-Day-Wochenende) und schließlich Los Angeles.

Für diese Rundfahrt (948 km) verläßt man Los Angeles auf der Interstate 5 und fährt in der Nähe von *Wheeler Ridge* (Karte s. S. 51) auf den Highway 99 und erreicht

Bakersfield (158 000 Einw.), 179 km. Die Stadt liegt im äußersten Süden des von der Sierra Nevada im Osten und der Coast Range im Westen begrenzten Central Valley, dessen südlicher Teil San Joaquin Valley heißt. Sie wurde 1869 gegründet, entwickelte sich zu einem Landwirtschaftszentrum und zur Versorgungsbasis der Bergwerke in der Sierra Nevada und erlebte schließlich einen beständigen und verstärkten Aufstieg seit der Entdeckung der Erdölvorkommen (1899) am Kern River. Heute ist Bakersfield der Mittelpunkt eines Verwaltungsbezirkes, in dem 494 000 Menschen leben. Das Stadtbild wird entscheidend geprägt durch das unmittelbare Nebeneinander von Äckern, Gärten und Ölfeldern.

3801 Chester Avenue befindet sich das *Kern County Museum and Pioneer Village*, Museum und Freilichtmuseum. Die Sammlungen des Museums sind vor allem naturgeschichtlicher Art. Das Freilichtmuseum besteht aus über 50 restaurierten Gebäuden und Verkehrsmitteln des späten 19. Jhs. (🕐 beide Museen Mo–Fr 8–17, Sa/So und Fei 10–17 Uhr).

Rund 16 km östlich von Bakersfield beginnt die an der Straße 178 und am Kern River gelegene *Kern River Recreation Area*, die bereits in den südlichen Ausläufern der Sierra Nevada liegt. Das Erholungsgebiet reicht bis zum 65 km entfernten *Isabella Lake* (Stausee). Im Gebiet des Sees befinden sich die Skigebiete Shirley Meadows Ski Area und Sugar Loaf Ski Area.

🛬 Fresno, San Francisco.

🚍 Los Angeles, San Francisco.

🏨 „Sheraton Valley Inn", 5101 California Avenue.

🏨 „Best Western Casa Royale", 251 S. Union Avenue; „Kern River Motor Inn", 2620 Pierce Road.

Man fährt auf der Autobahn 99 weiter bis *Tulare* (20 000 Einw.), 279 km, und erreicht von dort auf der Straße 63 *Visalia* (44 000 Einw.), 290 km. Von dort führt die Straße CA 198 in den

Sequoia National Park und in den sich nach Norden zu anschließenden **Kings Canyon National Park.** An der Einfahrt in den Sequoia National Park, 348 km, befinden sich die *Park Headquarters*, in denen man – wie auch in den *Lodgepole and Grant Grove Visitor Centers* innerhalb der Parks – nähere Informationen über beide Parks bekommen kann (🕐 Juni bis Labor Day tägl. 8–20, sonst 8–17 Uhr; Tel. 561-3341).

Die beiden Nationalparks bilden, obwohl fast 3400 km² groß, nur einen kleinen Teil des aus Nationalparks und Staatsforsten bestehenden Gebiets, das südlich des links erwähnten Isabella Lake beginnt, im Norden bis nach Oregon reicht und rund 75 000 km² groß ist (größer als Bayern). Dieses Park- und Forstgebiet entspricht weitgehend der Sierra Nevada und einem Teil der Cascade Range. Im Sequoia und Kings Canyon National Park liegt einer der großartigsten Teile der Sierra Nevada, im Ostteil des Sequoia National Park auch der *Mount Whitney,* der mit 4418 m höchste Berg der USA (außerhalb Alaskas).

Die Straße 198 führt durch die am besten erschlossenen Teile der beiden National-

Sequoia N.P.: Mammutbaum

Kings Canyon N.P.: Streifenhörnchen

yon wird vom Südarm des Kings River durchflossen und beeindruckt vor allem durch den großartigen Baumbestand der Cedar Grove und durch seine prächtigen Wasserfälle.

Wer nicht mit dem eigenen Wagen oder einem Mietwagen in die beiden National-parks reisen will, hat die Möglichkeit, ab Los Angeles oder San Francisco an mehr-tägigen Ausflügen organisierter Veran-stalter teilzunehmen. Von Mai bis Sep-tember besteht außerdem eine gute Li-nienbusverbindung von Fresno (siehe un-ten) zum Giant Forest (etwa 4 Std. Fahr-zeit).

In den Parks gibt es Campingplätze, eini-ge Motels (meist aus Bungalows oder Ca-bins bestehend) und Restaurants.

Wegen Reservierungen in den Motels oder auf den Campingplätzen wendet man sich an den Reservations Manager, Sequoia and Kings Canyon Hospitality Service (Postanschrift in beiden Fällen: Sequoia National Park, P.O. Box 789, Three Rivers, CA 93271).

Man fährt vom Kings River Canyon auf der Straße 180 zurück bis zur General Grant Grove Section, behält dort die Straße 180 Richtung Westen bei und kommt nach

Fresno (307 000 Einw.), 596 km, der be-deutendsten Stadt des San Joaquin Val-ley, die seit dem Zweiten Weltkrieg unauf-haltsam wächst. Die Umgebung (Fresno County), *Garden of the Sun* („Sonnengar-ten") genannt, ist die County mit den größten landwirtschaftlichen Jahreserträ-gen der USA.

Besonders während der glühenden Som-merhitze lohnt es sich, von Fresno aus einen Abstecher zum 30 km entfernten *Millerton Lake* zu unternehmen. Der Stausee liegt in den ersten Hügeln der Sierra Nevada und verlockt zum Baden. Außerdem bestehen gute Wassersport-möglichkeiten.

San Francisco.

Los Angeles, San Francisco.

„Fresno Hilton", 1055 Van Ness Ave-nue; „Sheraton Smuggler's Inn", 3737 N. Blackstone Avenue.

„Rodeway Inn", 4061 N. Blackstone Avenue; „La Quinta Motor Inn", 2926 Tulare Street.

Man fährt auf der Interstate I-5 nach Tu-lare, 669 km, und von dort zurück nach Los Angeles, 948 km, dem Ausgangs-punkt dieser Rundfahrt.

parks, und zwar durch den Giant Forest im Sequoia und durch die General Grant Grove Section im Kings Canyon Nation-al Park.

Der Giant Forest („Riesenwald") verdankt seinen Namen den Gruppen riesiger Sequoias (eine Mammut-baumart, Sequoiadendron gigan-teum; zu unterscheiden von den an der Küste in den Muir Woods bei San Francisco vorkommenden Red-woods, Sequoia sempervirens), wie z. B. der Senate Group, der Founder's Group und der Gruppe The Cloisters. Der mächtigste Baum dieser Grup-pen ist der **General Sherman Tree. Er ist 83 m hoch, hat am Boden einen Umfang von 31 m und weist in 42 m Höhe noch einen Ast mit 2 m Durch-messer auf. Dem Riesen wird ein Al-ter von über 3000 Jahren zugeschrie-ben.

Im Bereich des Giant Forest befinden sich u. a. der 2050 m hohe *Moro Rock* (ein mächtiger monolithischer Felsblock) und der *Arch Rock* (auch Tunnel Rock ge-nannt), ein wuchtiges Felsentor, durch das der *Generals Highway* (Verbindungs-straße zwischen den beiden National-parks) führt.

Der Highway führt als Straße 180 weiter in den Hauptteil des Kings Canyon Na-tional Park, und zwar in den *Canyon* des *Kings River*, 466 km, von dem der Natio-nalpark seinen Namen hat. Kings Can-

Route 4: **Los Angeles – *Santa Barbara – **Hearst Castle – Monterey – ***San Francisco

Für diese Fahrt (697 km; Karte s. S. 51) benutzt man vorwiegend den Highway 1, der fast immer an der Küste des Pazifik verläuft, von *Santa Monica* aus über *Malibu* (s. S. 27) am Fuß der Santa Monica Mountains nach *Oxnard* (130 000 Einw.), 101 km, zu dem der *Channel Islands Harbor* gehört, und

Ventura (83 000 Einw.), 115 km, das auf die 1782 gegründete *Mission San Buenaventura* (225 East Main Street; ☉ Mo–Sa 10–17, So 10–16 Uhr) zurückgeht.

Statt auf dem direkten Weg (Straße 1) nach Santa Barbara weiterzufahren, kann man unter Benutzung der Straßen 33 und 150 einen Umweg von 12 km in das Erholungsgebiet am *Casitas Lake* und am *Ojai* (7300 Einw.) machen. Neben Naturschönheiten wie der Piedra Blanca ist das Ojai Valley Museum im Feuerwehrhaus sehenswert (109 South Montgomery St.; ☉ Mi–Mo 13–17 Uhr), dessen Sammlungen sich vor allem auf die Chumash-Indianer (Hokan-Sprachgruppe) beziehen.

*Santa Barbara (77 000 Einw.), 158 km (ohne den Umweg über Ojai), liegt geschützt am Fuß der *Santa Ynez Mountains* und verdankt es den der Küste vorgelagerten Channel Islands (Santa Cruz, Santa Rosa und San Miguel Island), daß seine schönen Strände von Winden und Wellen mehr geschont werden als andere Küstenabschnitte. Eine weitere Besonderheit der Stadt, die auf ein 1782 angelegtes Presidio und die 1786 gegründete Mission Santa Barbara zurückgeht, ist ihr spanisch mexikanischer Charakter, der besonders in der Architektur des Stadtzentrums in Erscheinung tritt. Die eindrucksvolle Altstadt steht unter Denkmalschutz, Neubauten müssen der traditionellen Architektur entsprechen. Santa Barbara ist heute, da man auf eine Industrialisierung weitgehend verzichtet hat (Ausnahme Computerindustrie), in erster Linie Seebad und Kulturzentrum.

Durch die Altstadt führt die sog. *Red Tile Tour*, ein markierter Spazierweg, der einige der typischen spanischen Gebäude berührt (Broschüre vom Visitors Bureau, 222 E. Anapamu St., Tel. 966-9222). Von diesen Bauten können vor allem die folgenden auch im Innern besichtigt werden: das *Santa Barbara County Courthouse* (1100 Anacapa St.; 1929 im Stil eines spanischen Palastes erbaut; ☉ Mo–Fr 8–17,

Sa und So 9–17 Uhr); das *Fernald House* und der *Trussell-Winchester Adobe* (414 und 412 W. Montecito St.; ☉ So 14–16 Uhr), die beide zum *Santa Barbara Historical Society Museum* gehören (136 East De la Guerra St.; ☉ Di–Sa 10–17, So 12–17 Uhr).

Etwas außerhalb sind im Bereich des *Mission Canyon* einander benachbart: die 1786 gegründete und im Stil der spanischen Renaissance erbaute *Mission Santa Barbara* (East Los Olivos/Upper Laguna Sts.; ☉ tägl. 9–17 Uhr) und das *Museum of Natural History* (2559 Puesta del Sol Road; ☉ Mo–Sa 9–17, So im Sommer ab 10 Uhr; Fei geschl.). 2 km nördlich der Mission liegt der *Botanic Garden* für kalifornische Flora (1212 Mission Canyon Road; ☉ von 8 Uhr bis Sonnenuntergang).

🛬 209 State Street, Tel. 687-6848.

🚌 Greyhound, 34 W. Cabrillo Street, Tel. 966-3962.

🏨L „Four Seasons Biltmore", 1260 Channel Drive.

🏨 „Sheraton Santa Barbara Hotel and Spa", 1111 E. Cabrillo Boulevard.

🏨 „Vagabond Inn Mid-Town", 1920 State Street.

Santa Barbara: Innenhofcafé

Man fährt an der Küste weiter bis *Las Cruces,* 211 km, läßt dort die Straße 1 links liegen und fährt auf dem Highway 101 weiter über *Santa Maria* (47 000 Einw.), 276 km, nach

San Luis Obispo (35 000 Einw.), 326 km. Die Landwirtschafts- und Hochschulstadt geht auf die 1772 gegründete *Mission San Luis Obispo de Tolosa* (Monterey St.; Kirche ist heute Pfarrkirche; Museum ⊙ tägl. 9–16 Uhr) zurück. Nahe der Mission steht das *County Historical Museum* (696 Monterey St.; ⊙ Mi–So 10–16 Uhr). Der 1874 gegründete *Ah Louis Store* (800 Palm St.; ⊙ werktags 13–17.30 Uhr) wird heute noch von der Familie Ah Louis geführt.

🚉 Los Angeles, San Francisco.

🏨 „Best Western Royal Oak Motor Hotel", 214 Madonna Road.

Man geht nun wieder auf die Straße 1 über und kommt in *Morro Bay* (9000 Einw.), 348 km, das vom Morro Rock überragt wird, ans Meer. Rund 45 km weiter nördlich zweigt in *San Simeon* nach Osten der Weg ab, der zum

**Hearst – San Simeon State Historical Monument / Hearst Castle hinaufführt. (Siehe auch Seite 9.) Es handelt sich hier um das dem Staat geschenkte ehemalige Gutshaus der Ranch des Zeitungskönigs William Randolph Hearst (1863–1951). Das Gutshaus der früher über 1100 km² großen Ranch ist ein 30-Millionen-Dollar-Schloß mit 100 Räumen, die mit europäischen Kunstschätzen ausgestattet sind, für die Hearst rund 50 Millionen Dollar ausgegeben hat. Das La Casa Grande genannte Schloß kann nur im Rahmen von Führungen besichtigt werden. Frühzeitige Reservierung einer Eintrittskarte und Eintreffen bereits am frühen Morgen sind sehr zu empfehlen (Kartenreservierungen bei MISTIX, P.O. Box 85705, San Diego CA 92138, Tel. (619) 452-1950 oder 800/444-7275). Die Führungen dauern rund zwei Stunden.

Nördlich von San Simeon folgt am Highway 1 das schönste Stück der kalifornischen Pazifikküste: steile Klippen, malerische kleine Buchten und die atemberaubenden Serpentinen der Panoramastraße. In der *Point Lobos Reserve,* einem kleinen Naturschutzgebiet, kann man Seelöwen auf den Inseln vor der Küste beobachten.

Über das sehr hübsch gelegene Künstler- und Touristenstädtchen *Carmel* (4800 Einw.), 492 km, in dem die vielen kleinen Geschäfte an der Ocean Avenue und die 1770 gegründete Mission San Carlos Borromeo (⊙ Mo–Sa 9.30–16.30, So ab 10.30 Uhr) besuchenswert sind, kommt man nach

Monterey (29 000 Einw.), 498 km. Die Stadt geht auf das 1770 angelegte Presidio und die Missionsstation von Carmel zurück. Sie wurde die Hauptstadt von Alta California und blieb es bis zum Übergang Kaliforniens an die USA (1846). Im 20. Jahrhundert, besonders ab etwa 1930, wurde Monterey ein Zentrum des Sardinenfangs und der Sardinenverarbeitung. Die *Cannery Row,* an der eine Sardinenkonservenfabrik neben der anderen lag, ist durch den Roman „Cannery Row" (dt. „Straße der Ölsardinen") von John Steinbeck (1902–1968; er stammte aus dem benachbarten Salinas) berühmt geworden. Als 1947 die Sardinen aus unbekannten Gründen ausblieben, mußten die Fabriken schließen. Heute befinden sich in vielen von ihnen Restaurants, Kunstgalerien, Boutiquen und Antiquitätengeschäfte. Nicht versäumen sollte man einen Besuch des ausgezeichneten **Monterey Bay Aquarium* (886 Cannery Row; pazifische Meeresflora und -fauna; ⊙ tägl. 10–18 Uhr). Eine weitere Attraktion ist *Fisherman's Wharf* am Fuß der Olive Street, mit dem *Monterey State Historic Park* (altes Zollhaus), Souvenirläden, einem kleinen Hafen und Seelöwen im Wasser.

Im übrigen ist Monterey wegen seiner im wesentlichen spanisch-mexikanisch gebliebenen Altstadt sehenswert. In ihr sind noch mehrere Adobe-Häuser aus der mexikanischen Zeit erhalten; an den historisch wichtigen Häusern befinden sich Tafeln mit den notwendigen Erklärungen. Eine Karte hierzu gibt es im Visitor Center, 320 Alvarado St., Tel. 649-1770.

Zwischen Monterey und Carmel liegt die Halbinsel Monterey. Über diese führt der 17-Miles Drive um und durch den Del Monte Forest. Diese Strecke ist landschaftlich sehr reizvoll (mautpflichtig).

🚉 Los Angeles, San Francisco.

🏨 L „Hyatt Regency", 1 Old Golf Course Road.

🏨 „Casa Munras Garden", 700 Munras.

⌂ „Cypress Gardens", 1150 Munras.

△ YMCA Hostel, Tel. (408) 641-0375.

Man fährt um die Bucht von Monterey herum und über den vom Erdbeben 1989 stark in Mitleidenschaft gezogenen Ferienort *Santa Cruz* (41 000 Einw.; △; schöne Strände), 563 km, an der Küste entlang weiter nach *San Francisco,* 697 km.

Route 5: ***San Francisco – ***Yosemite N. P. – **Lake Tahoe – Reno (NV) – *Sacramento

Zu dieser Fahrt (1188 km; Karte s. S. 58) durch Zentral-Kalifornien verläßt man San Francisco auf der Interstate 80, fährt dann auf der Interstate 580 durch *Oakland,* über die *Coast Mountains* (am Osthang eine moderne Windkraftanlage zur Stromerzeugung) und erreicht auf der Interstate 205 das im Central Valley gelegene *Stockton* (191 000 Einw.), 128 km. Die Stadt ist durch einen etwa 125 km langen und besonders tiefen Kanal mit der San Francisco Bay verbunden. Ihr Hafen ist daher ein wichtiger Binnenhafen, v. a. für die Verschiffung der Agrarprodukte des San Joaquin Valley.

Der Highway 99 führt nach *Manteca* (25 000 Einw.), 147 km. Dort geht man auf den Highway 120 über, der über *Oakdale* (8400 Einw.; im April Oakdale RCA Rodeo) in den sehr besuchenswerten

***Yosemite National Park führt.

Bald nach Passieren des Big Oak Flat Entrance wechselt man von der Straße 120 auf die Straße 140 über, auf der man zum *Yosemite Village* kommt, dem Mittelpunkt des touristisch gut erschlossenen Teils des Nationalparks (326 km). Dieser Teil des Parks ist in der Hauptreisezeit stark überlaufen, während es im etwas mühsamer zu erschließenden Norden (an und nördlich der Straße 120) erheblich ruhiger ist. Der waldreiche Park, aus dem Berge bis zu rund 3300 m Höhe emporragen (am Ostrand erhebt sich über der Straße 120 und außerhalb des Parks der fast 4000 m hohe Mount Dana) beeindruckt im Frühling und Frühsommer vor allem durch seine großartigen Wasserfälle, deren schönste in der Nähe von Yosemite Village liegen: der *Bridalveil Fall,* der *Nevada Fall* und vor allem die **Yosemite Falls,* die mit rund 740 m die zweithöchsten Wasserfälle der Erde sind. Neben den Wasserfällen gehören die Mammutbaumbestände, besonders der in der Nähe des Südeingangs gelegene *Mariposa Grove,* zu den großen Sehenswürdigkeiten des Parks. Im Mariposa Grove steht die *Grizzly Giant Sequoia* (fast 64 m hoch, Durchmesser am Boden 10,50 m, Alter 2700 Jahre).

An Unterkünften gibt es außerhalb, jedoch unweit des Parks, zahlreiche Hotels,

z. B. ⌂ „The Narrow Gauge Inn" in der Nähe des Südeingangs, sodann innerhalb des Parks das ⌂L „Ahwahnee" (in der Nähe des Park Headquarters) und einfache Motels. Reservierungen für die innerhalb des Parks gelegenen Unterkünfte können bei der Yosemite Park and Curry Co., Yosemite National Park, CA, vorgenommen werden.

Östlich des Yosemite National Park liegen die Skigebiete *Mammoth Mountain Ski Area* und *June Mountain Ski Area.*

Für die Weiterfahrt vom Yosemite National Park aus bieten sich zwei Wege an. Wählt man den ersten Weg (Ostroute zum Lake Tahoe), so durchquert man den Yosemite National Park auf der Straße 120 von Westen nach Osten, und das bedeutet, daß man die Sierra Nevada auf dem 3031 m hohen *Tioga Pass* überwinden muß (wegen der starken Schneefälle im Winter ist die Straße meist nur zwischen Mitte Juni und Anfang Oktober geöffnet). Von der Paßhöhe, 430 km, geht es dann hinunter in das nur noch 2130 m hoch am Mono Lake gelegene *Lee Vining* (400 Einw.), 449 km.

Der einsame, mineralreiche *Mono Lake,* die größte Brutstätte der kalifornischen Möwen, war früher viel größer und hatte vor vier Jahrzehnten einen fast 15 m höheren Wasserstand. Seither wurden vier seiner fünf Zuflüsse abgeleitet, um zur

Yosemite N.P.: Half Dome

Wasserversorgung des 440 km weiter südlich liegenden Los Angeles beizutragen. Die Naturschützer bemühen sich um die Erhaltung des Mono Lake, erreichten bisher jedoch nichts als das Bekanntwerden des Sees, dessen Verdunstung sein zurückweichendes Wasser zweieinhalbmal salziger als das Meer gemacht hat.

Man fährt am Osthang der Sierra Nevada und nahe der Grenze nach Nevada auf dem Highway 395 über den Paß *Conway Summit* (2480 m) nach *Bridgeport* (500 Einw.; 1980 m hoch), 489 km. Rund 10 km vor Erreichen von Bridgeport hat man rechts einen Weg, der in dem etwa 20 km entfernten *Bodie State Historic Park* führt. In dieser originalen, nicht restaurierten und zum großen Teil erhaltenen „Geisterstadt" lebten von 1879 bis

1881 mehr als 10 000 Menschen; pro Woche sollen sich damals durchschnittlich sechs Schießereien ereignet haben.

Man setzt die Fahrt auf dem Highway 395 fort, überquert den fast 2300 m hohen Devils Gate Pass und kommt an den *Topaz Lake,* 556 km, an dem man vom Highway 395 auf den Highway 89 übergeht. Die ersten 27 km der Straße 89, die über den 2530 m hohen Monitor Pass führen, sind nur im Sommer befahrbar. Über *Markleeville* (65 Einw.), *Woodfords* (150 Einw.) und über den 2360 m hohen Luther Pass kommt man nach *South Lake Tahoe* (s. S. 61), 646 km.

*

Der zweite Weg ab dem Yosemite National Park ist im ersten Abschnitt iden-

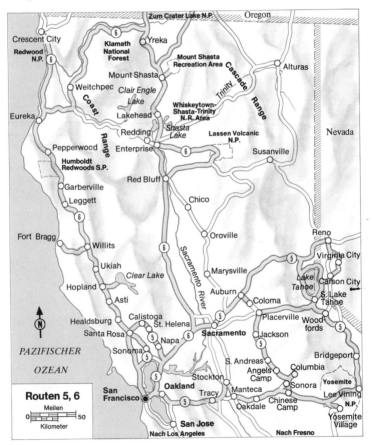

tisch mit der Straße 120 in Richtung Oakdale, die man für die Hinfahrt benutzt
hat. Von ihr geht man bei *Chinese Camp*
(150 Einw.), 434 km, auf die Straße 49
über, die über *Jamestown* (950 Einw.; Eisenbahnmuseum) nach

Sonora (3800 Einw.), 456 km, führt. Das
Städtchen gehört zu den Orten, die in den
Tagen des Goldbooms am Westhang der
Sierra Nevada in langer Reihe entstan-
den, im Gebiet der sog. *Mother Lode*, der
Hauptgoldader, durch das heute der
Highway 49 nach Norden führt. Noch
heute wird alljährlich im Juli die viertägi-
ge *Mother Lode Fair* und an dem Wo-
chenende, das dem Muttertag am näch-
sten liegt, der *Mother Lode Round-Up*
(Viehmarkt) veranstaltet, die mit ihren
Namen an die Zeit der Goldgräber erin-
nern. „Gunn House", eines der alten
Gasthäuser am Highway 49, ist im Stil der
Goldgräberzeit restauriert worden (⌂).

Man fährt auf dem Highway 49 weiter
nach Norden und hat nach 5 km Gelegen-
heit zu einem kleinen Abstecher (rechts)
in den *Columbia State Historic Park*, bei
dem es sich im wesentlichen um die ganz
ausgezeichnet restaurierte ehemalige
Goldgräberstadt *Columbia* handelt (⊙
tägl. 8–17, im Sommer bis 18 Uhr).

Die Straße 49 führt dann in der Calaveras
County durch ein Gebiet, in dem sich
Mark Twain (1835–1910) während des
Goldbooms aufgehalten hat. Dort hörte
er an Lagerfeuern besonders in *Angels
Camp* (1700 Einw.), 483 km, zahlreiche
Geschichten. Eine der von ihm unter dem
Titel „The Celebrated Jumping Frog of
Calaveras County" nacherzählten Ge-
schichten wird heute alljährlich im Mai
im Rahmen des Jumping Frog Jubilee
nachgestaltet. Mark Twain und dem
Frosch sind in Angels Camp Denkmäler
gesetzt.

In *Placerville* (5900 Einw.), 578 km, geht
man von der Straße 49 auf die Straße 50
über, bewältigt den Sierra-Nevada-Paß
Echo Summit (2250 m) und fährt dann
hinunter zum

**Lake Tahoe (1900 m hoch), 685 km.
South Lake Tahoe ist der größte Ort
der *Lake Tahoe Area* (20 000 Einw.),
eines in Kalifornien und Nevada um
den *Lake Tahoe* herum gelegenen,
sehr beliebten und daher im Sommer
wie im Winter (Skigebiet) überfüllten
Erholungsgebietes.

Am Seeufer liegen, besonders auf kalifornischer Seite, viele Ferienorte mit Hotels,
Motels und Restaurants vor allem der
mittleren und unteren Preisklasse sowie
Campingplätze. Badestrände (Zephyr
Cove) und mancherlei Sporteinrichtungen sind vorhanden. Die Bergketten, die
den See umgeben, sind ein beliebtes Wintersportgebiet (dazu gehört Squaw Valley, Austragungsort der Olympischen
Winterspiele von 1960).

Abstecher nach Nevada

Das Ostufer des *Lake Tahoe* gehört bereits zum Staate Nevada. Unmittelbar
hinter der Grenze bei South Lake Tahoe
stehen in *Stateline* bereits die ersten großen Hotels und Spielcasinos, denn ver-
lockendes Glücksspiel in Kalifornien verboten ist, doch in Nevada erlaubt und
begünstigt wird. Vom Lake Tahoe aus
lohnt der kurze Abstecher nach Nevada
zu den Städten Carson City, Virginia City
und Reno.

Carson City (36 000 Einw.) ist die kleine,
1864 erwählte Hauptstadt von Nevada.
Das aus Sandstein erbaute Capitol
stammt aus der Zeit um 1870, doch wird
auch hier das Stadtbild, wie überall in
Nevada, von den Spielcasinos beherrscht,
die jedoch bei weitem nicht so groß und
glitzernd aussehen wie in Las Vegas. Man
sagt, in Carson City sei die Zeit um ein
paar Jahrzehnte zurückgeblieben, Las
Vegas hätte damals so ausgesehen wie
Carson City heute.

Fährt man von Carson City nach Norden
mit dem Ziel der ca. 60 km entfernten
Nachbarstadt Reno, so führt ein Umweg
von etwa 10 km nach

*Virginia City, der berühmten Silberader-
Stadt der Comstock Lode. Viele alte Häuser stehen noch an der Hauptstraße, ihre
Atmosphäre des alten Westens ist heute
eine touristische Attraktion. Um 1870
war Virginia City mit seinen Silbergruben
und mehr als 30 000 Einwohnern eine der
größten und reichsten Städte des Westens, heute zählt es noch 1500 Einwohner. Das nahegelegene

Reno (115 000 Einw.) ist nach Las Vegas
die zweitgrößte Stadt von Nevada und
gleichfalls ein Spieler-, Scheidungs- und
Heiratsparadies. Zu den Attraktionen
dieser Stadt gehört das *William F. Harrah
Foundation National Automobile Museum*
(Lake Street am Truckee River; ⊙ tägl.
9.30–17.30 Uhr) sowie das *Mineral Museum* (⊙ Mo–Fr 8–17 Uhr) der University
of Nevada. In der Höhenlage von 1370 m
und mit seiner Umgebung von Bergen
und Seen ist das Klima von Reno weit an-

5

genehmer als die Wüstenluft von Las Vegas, daher ist hier im Norden von Nevada der jährliche Besucherstrom aus dem nahen Kalifornien stark angewachsen.

❶ Reno Convention & Visitors Authority, 4590 S. Virginia Street, Tel. 827-7600.

✈ Cannon Airport, 6 km südlich.

🚄 E. Commercial Row / Lake Street, Tel. 329-8638.

🚌 Greyhound, 155 Stevenson Street, Tel. 322-4511.

(Für eine längere Fahrt im Südwesten – etwa von Nevada über Utah und Arizona – empfiehlt sich der Polyglott-Reiseführer „USA Der Südwesten".)

*

An der US 80 liegt *Auburn,* eine Goldgräbergründung, deren Altstadt an diese Zeit erinnert (ca. 170 km von Reno). Hier lohnt ein Abstecher (30 km) auf der Straße 49 nach Süden nach *Coloma* mit seinem *Marshall Gold Discovery State Historic Park* (🕐 tägl. 10–17 Uhr). Das hier 1848 gefundene Gold löste den großen kalifornischen Goldrausch aus. Von Auburn gelangt man nach

*Sacramento (338 000 Einw.), 919 km. Der Ort geht auf das von dem Schweizer J. A. Sutter um 1840 angelegte Fort zurück und erlebte seine erste Blütezeit im Zusammenhang mit dem Goldrausch von 1848, der die Einwohnerzahl auf etwa 10 000 ansteigen ließ. 1854 wurde es Hauptstadt des neuen US-Bundesstaates Kaliforniens, und im gleichen Jahr wurde mit dem Bau des *Capitol* begonnen (1874 fertiggestellt, 1952 erweitert und 1982 restauriert). In der Folgezeit wurde die Stadt vor allem Handelszentrum des Sacramento Valley, eines blühenden Agrargebietes. Erst in neuester Zeit hat auch die Industrie Fuß gefaßt (vor allem Elektronik für die Luft- und Raumfahrt).

Außer dem von einer vergoldeten Kuppel gekrönten *Capitol* (Führungen täglich, Fei ausgenommen, 9–17 Uhr) sind das **Sutter's Fort* (2701 L Street; 🕐 tägl. 10–17 Uhr), das *Crocker Art Museum* (216 O Street; 🕐 Mi–So 10–17, Di 13–21 Uhr) und der am Ostufer des Sacramento River zwischen Capitol Mall und I Street Bridge gelegene *Old Sacramento Historic District* (eine Art Freilichtmuseum, das die Zeit von 1850–1880 wieder erstehen lassen soll) sehenswert. Die wichtigsten

Bauten von Old Sacramento (Visitor Center, 1104 Front Street) sind die *Central Pacific Passenger Station,* das *B. F. Hastings Museum* und das *Old Eagle Theatre* (🕐 alle 10–17 Uhr). Außerdem gibt es ein Eisenbahnmuseum.

Mit dem Schaufelraddampfer *Delta King* kann man Ausflugsfahrten unternehmen.

❶ Convention & Visitors Bureau, 1421 K Street, Tel. 449-6711. – Old Sacramento Visitor Center, 1104 Front Street, Tel. 442-7644.

✈ Metropolitan Airport, an der I–5, 18 km nördlich.

🚄 401 I St., Tel. 444-9131.

🚌 Greyhound, 715 L St., Tel. 444-6800.

🛏 „Vagabond Inn", 909 3rd Street.

🛏 „Best Western Sandman", 236 Jibboom Street.

Von Sacramento aus fährt man auf der Interstate 80 in Richtung San Francisco, biegt aber nach 15 km nach Norden in die Straße 12 und von ihr in die Straße 29 ein, um in das fruchtbare *Wine Country* (die Counties Napa und Sonoma) zu fahren.

*Napa Valley, das von *Napa* (50 000 Einw.), 1008 km, über *St. Helena* (4800 Einw.) bis *Calistoga* (3900 Einw.) reicht, ist das Kernstück dieses Weinlandes, in dem viele der über 170 Weinkellereien zu Führungen und Weinproben einladen. Zu ihnen gehören die Robert Mondavi Vineyards (Yountville), die Beringer Vineyards und die Charles Krug Winery in St. Helena (2800 Main St.) sowie Hanns Kornell Champagne Cellars bei Calistoga (Larkmead Lane).

Von Calistoga aus fährt man in westlicher Richtung nach *Santa Rosa* (91 000 Einw.). In diesem Zentrum des fruchtbaren Sonoma Valley befinden sich die Luther Burbank Memorial Gardens (Santa Rosa / Sonoma Avenues), benannt nach dem Pflanzenzüchter Luther Burbank (1849–1926), der u. a. steinlose Pflaumen und dornenlose Brombeersträucher züchtete. Burbank ist in den Gärten unter einer Libanonzeder beigesetzt.

Man fährt auf der Straße 12 durch das Sonoma Valley, ein Weintal, dessen Hauptort *Sonoma* (7000 Einw.), 1116 km, ist, wo man u. a. die Buena Vista Winery (18 000 Old Winery Road) besichtigen kann.

Über die Golden Gate Bridge geht es zurück in die Downtown von San Francisco, 1188 km.